BONHEUR D'OCCASION AU PLURIEL

LECTURES ET APPROCHES CRITIQUES

Collection « Séminaires »

dirigée par

Marie-Andrée Beaudet, Robert Dion

et Richard Saint-Gelais

Les auteurs

Marie-Andrée BEAUDET

Micheline CADIEUX

Christiane KÈGLE

Józef KWATERKO

Pierre POPOVIC

Max ROY

Lori SAINT-MARTIN

Hilligje VAN'T LAND

Sous la direction de

MARIE-ANDRÉE BEAUDET

BONHEUR D'OCCASION AU PLURIEL

LECTURES ET APPROCHES CRITIQUES

Éditions Nota bene

LE CONSEIL DES ARTS | THE CANADA COUNCIL
DU CANADA | FOR THE ARTS
DEPUIS 1957 | SINCE 1957

Les Éditions Nota bene remercient le Conseil des Arts du Canada,
la SODEC et le ministère du Patrimoine du Canada
pour leur soutien financier.

Marie-Andrée Beaudet

CRELIQ, Université Laval

PRÉSENTATION

Ce livre a une double visée, à l'instar du séminaire dont il est issu et que j'ai eu le plaisir d'animer à l'hiver 1996. D'une part, introduire aux principes méthodologiques de quelques approches critiques contemporaines (sociocritique, psychanalytique, féministe, sémiotique, théorie de la réception, etc.) et, d'autre part, revisiter à l'aide de ce carrousel critique un « classique » de la littérature québécoise : *Bonheur d'occasion,* de Gabrielle Roy.

Au départ, l'exercice visait à illustrer la portée heuristique des méthodes critiques et à permettre l'éclairage le plus large et le plus varié possible sur un roman déjà beaucoup commenté mais dont la richesse – le présent collectif le confirme – n'a pas fini d'inspirer les lecteurs et les spécialistes. Un défi littéraire et pédagogique certes, mais surtout une passionnante aventure de lecture(s) qui a réuni pendant un trimestre étudiants et professeurs autour de personnages, de situations et de mots qui sont devenus au fil des semaines d'inépuisables lieux de réflexion sur la littérature elle-même, sur l'histoire et sur le Québec également. De lecture en lecture, le roman révélait de sa complexité comme de sa cohérence et obligeait les participants à revoir par le menu des passages qu'ils croyaient pourtant bien connaître mais qui, au détour d'une observation, par la mise en valeur que leur procurait une argumentation, grâce à une analyse qui proposait un nouveau lien de la scène à l'ensemble, trouvaient une nouvelle nécessité en provoquant soudain une échappée de sens inattendue.

On verra à la lecture du présent ouvrage que le choix de *Bonheur d'occasion* a été très heureux. Si l'œuvre de Gabrielle Roy, et *Bonheur d'occasion* en particulier, ont fait l'objet de beaucoup de commentaires et d'analyses (voir Saint-Martin, 1998), jamais encore n'avait-on réuni autour du premier roman de l'auteur un tel arsenal théorique. La distance qui nous sépare du moment de sa parution permet un tel déploiement, et la force de l'œuvre l'appelle en quelque sorte.

On pourrait dire de *Bonheur d'occasion* qu'il est un livre de passage. D'abord pour l'auteur elle-même qui, avec ce livre publié en 1945, fait son entrée – et une entrée fracassante – dans le monde de la littérature. Gabrielle Roy, journaliste attachée au *Bulletin des agriculteurs,* dont plusieurs grands reportages sur Montréal témoignaient déjà d'une conscience urbaine et sociale très aiguisée, franchit le pas et accède, après quelques années d'essais infructueux, à une écriture de fiction marquée au sceau de l'écriture réaliste. D'autres étaient passés là avant elle, Ringuet notamment, mais jamais encore la ville n'avait été saisie de l'intérieur, avec une telle acuité, dans le tissu même de ses contradictions et de ses forces intimes. Il s'agit donc du passage du reportage au roman pour la jeune écrivain, du passage également pour la littérature québécoise des préoccupations rurales traditionnelles aux défis urbains d'une première véritable entrée dans la modernité.

Non seulement *Bonheur d'occasion* peint-il la ville, les rythmes et les bigarrures d'un quartier ouvrier, mais il dessine les contours d'une nouvelle sensibilité, de nouvelles valeurs, des valeurs encore imprégnées d'ancien certes, mais qui se trouvent saisies par la romancière précisément à leur point d'émergence, à même le tumulte et le cafouillis qui accompagnent toute grande mutation sociale. Moment de bascule entre l'ancien et le nouveau, entre les valeurs héritées et les valeurs à acquérir portées par la ville moderne, des vieilles solidarités grégaires aux nouvelles avenues individualistes dictées par les désirs de réussite matérielle et d'ascension sociale, le roman sur fond de guerre en laisse entendre le difficile, le tragique, en même temps que l'inexorable.

Dans ces années 1940 que le roman met en scène, la société québécoise entre comme à l'aveugle dans une mutation qui prépare la voie à cette formidable accélération de son histoire que constituera pour elle la Révolution tranquille. La direction, le sens des changements en train de s'opérer n'est pas encore apparent. Les forces qui les animent n'ont pas encore donné leur nom. Elles frappent d'abord comme toujours les êtres les plus démunis, les quartiers les plus fragiles, les plus pauvres. Le beau roman de Gabrielle Roy situe son action à ce point de première rupture, là où le nouveau commence à fissurer le cœur quasi unanime de l'Ancien. Les vieilles certitudes craquent de toutes parts, le passé cesse pour un temps d'être garant de l'avenir. Quelques individus – surtout des hommes et parmi les plus jeunes et les plus libres – plongent tête baissée dans les nouveaux défis qui se profilent à l'horizon et rompent délibérément les amarres ; d'autres y rêvent et n'y parviennent qu'à demi, au prix de compromis et de compromissions qui les laisseront blessés à jamais ; le grand nombre reste en rade et assiste démuni au passage de l'Histoire.

Un tel roman sollicite d'emblée, on le conçoit, la méthode sociologique. Aussi trouvera-t-on ici une présence marquée de préoccupations méthodologiques liées à la sociocritique. D'entrée, le texte de Pierre Popovic, consacré à l'analyse de l'incipit de *Bonheur d'occasion*, plus précisément aux six premières pages du roman, donne le ton. Rappelant les grandes articulations du célèbre article « Pour une socio-critique ou variations sur un incipit », de Claude Duchet (1971), Popovic montre comment le roman installe dès l'ouverture les signes de l'un des enjeux majeurs de cette mutation des valeurs qui secoue la société québécoise des années 1940, la disqualification des savoirs traditionnels et l'acquisition de nouveaux savoirs requis par le capitalisme d'après-guerre. Le texte de Lori Saint-Martin prolonge l'examen des valeurs sociales inscrites dans le texte, cette fois à la lumière du paradigme féministe, principalement abordé à partir du *Deuxième sexe* de Simone de Beauvoir (1949). Après un rappel du renouvellement apporté à l'interprétation du roman par ce qu'il est convenu d'appeler « les lectures au féminin », Saint-Martin formule en une série de propositions les principaux éléments qui permettent d'aborder *Bonheur d'occasion* comme un roman féministe et analyse les différentes techniques narratives utilisées par Gabrielle Roy pour induire un « réalisme au féminin ».

Les deux textes suivants s'intéressent à la spatialité du roman en se référant tous deux, dans une mesure différente toutefois, à la notion de chronotope définie par Mikhaïl Bakhtine (1978). Dans une perspective plus large, également inspirée des travaux de Iouri Lotman (1973), Hilligje van't Land propose une analyse sociosémiotique des fonctions et des valeurs dévolues aux lieux dans *Bonheur d'occasion*. Elle établit ainsi les systèmes de signification qui président aux macro- et aux microstructures de l'œuvre, aux espaces publics et aux espaces privés, et qui, en outre, règlent les déplacements des personnages. Józef Kwaterko, quant à lui, attire l'attention sur trois passages qui mettent en scène les figures de la danse. Son analyse montre, entre autres, comment par un renversement des significations attendues le swing et la valse permettent au roman d'inscrire dans l'espace et dans les corps les changements de valeurs alors à l'œuvre dans la société.

S'appuyant à la fois sur les acquis méthodologiques de la sémiotique et de la psychanalyse lacanienne, Christiane Kègle observe « les parcours des figures féminines et masculines de l'univers narratif de *Bonheur d'occasion* en interrogeant les défaillances de l'ordre symbolique » (p. 167). La perspective retenue tend, au terme de l'examen, à rapprocher le savoir « insu » de l'écrivain du savoir de l'analyste.

Dans un tout autre registre, Max Roy, qui s'intéresse à l'histoire de la lecture littéraire au Québec, retrace la façon dont le roman de Gabrielle Roy a été successivement reçu, du moment de sa parution aux années plus récentes. Le tracé de ces diverses lectures, imputables tant à la critique journalistique qu'à la critique universitaire, permet de prendre connaissance des grands débats interprétatifs suscités par l'œuvre et de suivre les aléas de la construction de la valeur du roman.

En conclusion, une contribution qualifiée de « lecture libre » vient redonner leur part à la biographie et à la création, en éclairant la rencontre exceptionnelle de deux femmes, l'une romancière et l'autre scénariste. Micheline Cadieux relate le parcours d'une scénarisation qui, depuis sa passion pour la richesse et la diversité de l'œuvre, l'a menée de Saint-Boniface au Manitoba à Petite-

Rivière-Saint-François au Québec, sur les traces de Gabrielle Roy, parcours qu'est venue clore en bout de piste la réalisation signée par Léa Pool. Simplement intitulé *Gabrielle Roy,* le film lancé en 1998 a depuis remporté plusieurs prix. Ce texte nous introduit au cœur d'un processus de création, celui d'un scénario de film dont le propos portait justement sur l'énigme de la création, telle que vécue par l'auteur de *Bonheur d'occasion.*

Je n'ai aucune hésitation à l'affirmer : c'est à une passionnante et exigeante aventure collective de relecture que je convie le lecteur. Qu'il confronte lui aussi sa connaissance du roman, ses propres perceptions aux propositions qu'il trouvera ici. Et qu'à travers cette confrontation de points de vue il entre dans l'univers tout aussi fascinant et complexe des approches dites savantes de l'œuvre littéraire. Le lecteur, qu'il soit enseignant, étudiant ou passionné de littérature tout simplement, verra que les diverses théories convoquées, en dépit des différences de leurs présupposés, ne se posent pas tant comme des réponses apportées aux questions ouvertes par l'œuvre, en l'occurrence *Bonheur d'occasion*, mais plutôt comme un protocole de nouvelles questions qui viennent réactiver en les actualisant les questions informulées du texte. Carrousel critique, disais-je en ouverture ?

BIBLIOGRAPHIE

BAKHTINE, Mikhaïl (1978), « Formes du temps et du chronotope dans le roman », dans Mikhaïl BAKHTINE, *Esthétique et théorie du roman*, Pais, Gallimard, p. 235-398.

BEAUVOIR, Simone de (1949), *Le deuxième sexe*, Paris, Gallimard, t. I. (Coll. « Idées ».)

DUCHET, Claude (1971), « Pour une socio-critique ou variations sur un incipit », *Littérature*, n° 1 (février), p. 5-12.

LOTMAN, Iouri (1973), « Le problème de l'espace artistique », dans Iouri LOTMAN, *La structure du texte artistique*, Paris, Gallimard, p. 309-329.

SAINT-MARTIN, Lori (1998), *Lectures contemporaines de Gabrielle Roy. Bibliographie analytique des études critiques (1978-1997)*, Montréal, Boréal. (Coll. « Cahiers Gabrielle Roy ».)

Pierre Popovic

Université de Montréal

LE DIFFÉREND DES CULTURES ET DES SAVOIRS DANS L'INCIPIT DE *BONHEUR D'OCCASION*

À Claude Duchet

> Sans cesse ce quartier de Saint-Henri que je parcourais, sans même en connaître encore le nom, était ébranlé par le passage des trains.
>
> Gabrielle ROY,
> *La détresse et l'enchantement.*

Si le terme d'incipit (du latin *incipere,* commencer) doit à Louis Aragon (1969) d'avoir fait quelque percée dans le vocabulaire de la création et du commentaire littéraires, dans le domaine des études sociologiques de la littérature, c'est à Claude Duchet que revient le mérite de l'avoir revampé et d'avoir accordé une place de choix au micro-objet qu'il désigne, à savoir le début d'un texte, généralement d'un récit ou d'un roman[1]. Il n'est pas anodin que Duchet ait donné à l'article dans lequel il procède à cette réactivation[2] un titre aussi fort que « Pour une socio-critique ou variations sur un incipit ». Par le biais de cette attention portée à l'incipit des textes, il cherchait alors à définir et à exemplifier le programme d'une socio-critique[3] qu'il se plaisait à situer dans un

> entre-deux [...] ouvert, pour elle et non par elle, entre la sociologie de la création, à laquelle le nom de Lucien Goldmann demeure attaché, et la sociologie de la lecture, dont Bordeaux et Liège [c'est-à-dire les travaux de Robert Escarpit et de son école, ainsi que les recherches de Jacques Dubois], entre autres, ont fait leur spécialité, et dont se préoccupent également des sociologues de la production littéraire comme P[ierre] Bourdieu et J[ean]-Cl[aude] Passeron[4] (1971 : 6).

---

1. Le terme d'incipit peut aussi être utilisé à propos d'autres genres ou types de textes (théâtre, essai, biographie et autobiographie, certains recueils de poésie) moyennant les adaptations théoriques nécessaires.

2. Avant qu'Aragon ne s'en serve à des fins esthétiques personnelles, le mot incipit était utilisé par les philologues et les paléographes pour désigner les premiers mots d'un manuscrit ou d'un texte archivé.

3. Le trait d'union est une coquetterie d'époque qui disparaîtra par la suite (et dans la présente étude).

4. Les événements subséquents ne laisseront pas intact l'espace que veut conquérir Duchet : Dubois ne se reconnaîtrait évidemment pas dans la « sociologie de la lecture », pas plus que Bourdieu ou Passeron dans une « sociologie de la production littéraire » qui ferait fi de toute considération du « texte ».

Cet entre-deux, selon Duchet, est le « texte[5] », élu seul et entier objet d'étude d'une sociocritique conçue « comme une sociologie des textes, un mode de lecture du texte » (p. 6). Par suite, l'analyse d'incipit est l'exemple *in actu* de ce que vise et de ce que peut la sociocritique, ce que démontre, dans la seconde partie de l'article, l'examen de la première phrase de *Madame Bovary*. Elle s'avère aussi le parangon d'une conception dynamique de la relation entre texte et hors-texte qui caractérise l'esprit de cette démarche critique et lui donne une identité propre, plus profondément peut-être que ne le font les choix méthodologiques opérés par chaque sociocriticien en fonction des questions qu'il pose et auxquelles il se donne la mission de répondre. Parce qu'il est passage : de la rumeur

---

5. Duquel Duchet cherche à donner une définition point trop fétichisante, extensible (« de l'œuvre à la formation discursive telle que Michel Foucault l'a définie », p. 6), distante à la fois de la conception close et immanente du structuralisme, de la conception strictement déterministe du sociologisme vulgaire ou du marxisme orthodoxe, de la conception dualiste de l'analyse idéologique telle qu'elle se pratique alors (confrontant le texte à une macro-idéologie « dominante ») et de la conception néo-formaliste de pointe (sémiotico-psychanalytique révolutionnaire) alors en vogue du côté de certaine avant-garde. Cette dernière énumération le suggère cavalièrement : le dégagement d'un entre-deux situé entre Goldmann d'un côté et un problématique polynôme Escarpit-Dubois-Bourdieu-Passeron est par trop commode. En conjoncture, la concurrence critique est un peu plus compliquée que cela.

sourde du monde à la netteté sans bavure de l'écrit, de la complexité sociale à la complexité non moins grande mais autre de la fiction ; parce qu'il est le moment et le lieu où le lecteur accepte ou non de basculer avec le texte (et quelquefois contre lui) dans l'imaginaire ; parce que s'y produisent très matériellement « une métaphore de la création, l'abolition du silence, l'irruption de la parole génératrice » (Farcy, 1991 : 57), l'incipit romanesque est l'objet idéal pour démontrer cette conception dynamique et pour la mettre à l'épreuve, ainsi que pour faire valoir une problématique « qui s'efforcera toujours de reconnaître, sous le trajet du sens inscrit, le trajet du non-dit à l'expression » (Duchet, 1971 : 7).

En même temps qu'il définit cette visée générale, Duchet dégage les principales procédures opératoires qui doivent gouverner l'analyse d'incipit. Prenant soin de préciser que la sélection d'un tel fragment n'a de sens que dans une logique compréhensive qui le rapportera systématiquement à des entités significatives plus larges que lui – dont au premier chef celle du roman considéré[6] –, il cherche à penser *l'ouverture* du roman autrement que comme une rupture ou la réalisation idéaliste d'une envolée dans les cieux éthérés du sublime :

---

6. « [...] la lecture critique proprement dite devrait renvoyer sans cesse du fragment à l'ensemble, et de l'ensemble au fragment, pour respecter le fonctionnement réel du texte » (Duchet, 1971 : 10).

> *On parle d'ouverture d'un roman : le mot est ambigu puisqu'il tend à sacraliser comme espace du vol, du vrai, du fiable, du vérifiable, un en-dedans problématique, le hasard d'un texte, un lieu d'abord fait de limites, un* templum *où s'observent les signes.* [...] *Je voudrais penser au rebours l'ouverture, la voir tournée vers l'autre face du miroir, vers la réserve des possibles, les pratiques vécues, vers ce lieu des sens qui est le monde, et les chemins que l'histoire y trace* (p. 9).

Cette façon cinétique, interactive de penser l'ouverture la fera voir comme travail sur du déjà-là, arrachement à « la prose du monde », passage actif d'une frontière (imaginaire).

Il s'agit d'un travail sur du déjà-là, c'est-à-dire sur un génotexte composé des brouillons et des manuscrits du romancier, lesquels constituent les éléments d'un « texte masqué [...], le lieu d'un désastre de l'écriture, où l'on peut observer la trace des possibles réprimés, le jeu libre des connotations, l'influence réfractée du destinataire » (p. 7), mais aussi sur ce qui entoure directement le texte (péri- et paratexte, titre, jaquette, épigraphes, tout ce qui établit les premières conditions de la communication littéraire) et sur le « champ intellectuel » duquel le texte émerge, car

> [l]'œuvre *n'est lue, ne prend figure, n'est* écrite *qu'au travers d'habitudes mentales, de traditions culturelles, de pratiques différenciées de la langue, qui sont les conditions de la lecture. Nul n'est jamais le premier lecteur d'un texte, même pas son « auteur ». Tout texte est déjà lu par la*

> *« tribu » sociale, et ses voix étrangères – et fami-*
> *lières – se mêlent à la voix du texte pour lui don-*
> *ner volume et tessiture* (p. 8).

Il est question d'un arrachement à « la prose du monde » dans la mesure où il s'agit de décrire, d'analyser et de comprendre[7] les procédures mises en œuvre pour altérer cette prose, pour la défigurer et la reconfigurer. Il est question d'un passage actif d'une frontière parce que l'objectif est de saisir un procès de sens en

> *cette limite où le texte se met en jeu, où s'échan-*
> *gent monde et parole, vivre et dire, nécessité et*
> *« liberté », où le choix se décide, conjointement,*
> *d'un ailleurs et d'un ici, et le profil d'un sens,*
> *dans le suspens des autres* (p. 9).

Nonobstant ce qu'elles concèdent inévitablement à l'esprit et à la lettre de leur moment d'énonciation (le début des années soixante-dix), ces propositions inaugurales ont gardé toute leur fécondité et tout leur pouvoir de suggestion[8]. Depuis leur parution, elles ont pu être modifiées, adaptées, ouvrées aussi bien par les travaux produits sur le terrain propre de la sociologie littéraire que par des recherches issues du champ plus large de

---

7. Selon les trois étapes habituelles de la démarche compréhensive.

8. Cette fécondité et ce pouvoir, elles les doivent non seulement à l'intelligence du fait littéraire dont elles témoignent, mais aussi à l'élégance d'une écriture rarement approchée dans les travaux des sociologues de la littérature.

la théorie littéraire (de la micronarratologie à l'analyse du discours ou la néorhétorique)[9], mais la direction qu'elles indiquent est restée inchangée.

Consacrée à l'incipit de *Bonheur d'occasion,* la présente étude s'efforce de le démontrer. Pour ce faire, elle adopte une définition large de l'incipit. De manière stricte, celui-ci peut ne désigner que

---

9. Il est notoire qu'il serait vain de vouloir placer la sociocritique sous la coupole d'une méthode unique. Ce qui la définit, c'est sa visée herméneutique, laquelle peut s'intégrer dans des cadres heuristiques qu'il appartient à chaque chercheur de construire selon la problématique qu'il élabore (le degré de cohérence de cette intégration est le premier indice de la qualité de sa démarche, la systématicité de la lecture qui en découle en est le second). Avec tolérance, Duchet admet cette diversité méthodologique et propose de penser la sociocritique en relation avec des disciplines variables dont elle réinterprétera les acquis et adaptera les méthodes à l'aune de ses buts : « De plus, ce n'est qu'au niveau de la grande unité (chapitre, livre, œuvre) que peuvent être étudiés les trajets de la signifiance, les variations paradigmatiques, les réseaux associatifs, les oppositions de fonctions, les champs de dispersion sémique, le jeu des codes, la modulation des thèmes et leur actualisation en motifs ou leur disposition en figures, l'articulation du récit et du discours, les tensions du signifié, les contradictions entre les niveaux du texte, entre le désigné et le signe, entre les idéologies (préexistante et produite), les distorsions provoquées par l'intrusion d'éléments allogènes […]. Cette énumération, qui n'est pas exhaustive, voudrait seulement montrer les points d'application possible d'une socio-critique, à l'intersection d'autres approches que, loin d'exclure, elle suppose, quitte à déplacer leur démarche ou tenter d'interpréter leur métalangage » (1971 : 10).

les premiers mots ou que la première phrase d'un roman. De façon plus souple, il peut désigner une séquence plus ou moins longue du début d'un roman, séquence au terme de laquelle l'ensemble des principales conditions de lisibilité et de recevabilité du texte peut être tenu pour établi. La limitation du fragment relève en ce cas d'une décision critique. Quoique la première phrase du roman de Gabrielle Roy soit l'objet d'une attention particulière, l'analyse couvre les six premières pages du roman, isolant le fragment que clôt l'expression « il se pencha, les deux coudes sur la table et le visage entre ses fortes mains brunes ». À cet instant du récit se termine la première escarmouche entre Florentine Lacasse et Jean Lévesque. Immédiatement après, la narration change d'angle et cède la place à une vue d'ensemble du Quinze-Cents : « De nouveaux consommateurs affluaient vers le comptoir[10]. »

ÉPHÉMÉRIDE DU BONHEUR

Les gens heureux n'ont pas d'histoire ; ils n'ont pas plus de littérature. Le bonheur est sans doute une noble aspiration, mais le roman moderne a fait peser sur sa réalisation et son atteinte tout le soup-

---

10. Dans l'édition qui servira de base à l'étude (Roy, 1977), l'extrait sélectionné va de la page 11 à la page 17. Désormais les renvois à cette œuvre seront signalés par la seule mention BO- suivie du numéro de la page.

çon qu'il a pu, quand il ne l'a pas tout bonnement rejeté avec mépris[11]. La trace de ce soupçon, le roman l'exhibe dès son titre. Par les connotations qu'elle libère, l'expression « bonheur d'occasion » forme un titre à tendance oxymorique[12], puisqu'elle associe la plénitude d'un état de conscience à la matérialité crue, et connecte un mot renvoyant à un idéal existentiel avec une locution relevant du monde du commerce à rabais et du marché d'échange. Parler de bonheur de rechange ou d'ersatz de bonheur heurte aussi un fond d'évidence romantique : le bonheur ne peut servir plus d'une fois à des personnes différentes (ce que suppose la vente d'objets d'occasion), ni se négocier par abattement.

Pour une Florentine Lacasse, que peut être le bonheur ? À une jeune femme issue des milieux pauvres, le discours social des années quarante offre trois représentations principales du bonheur qui, toutes trois, supposent et exigent d'elle qu'elle convole en justes noces avec le mâle *ad hoc*. L'une des voies d'accès à ce quelque chose qui s'appellerait le bonheur reste le mariage avec Jésus-Christ,

---

11. Un roman dont le titre serait *Florentine Lacasse à la recherche du bonheur* ne pourrait être qu'un roman sentimental ou qu'un roman édifiant appartenant à la paralittérature. Lui enlever le nom de famille pour obtenir *Florentine à la recherche du bonheur* reviendrait à le faire glisser *illico* dans la titrologie de la littérature enfantine.

12. Une sorte d'oxymore connotatif, si l'on veut.

la vie vouée à la religion catholique, la carrière de bonne sœur avec ses possibles débouchés vers l'éducation ou la santé : dans le roman cette voie est représentée par le personnage d'Yvonne, la petite sœur de Florentine qui « [à] treize ans [...] se débattait, seule, cherchant la clef des mystères humains » (BO-90) ; le mysticisme solipsiste d'Yvonne et le rôle effacé de celle-ci dans le récit ne laissent aucun doute sur l'anachronisme et le dépérissement de cette possibilité-là. Un autre chemin est celui que trace le beau métier de mère – ordinairement valorisé par le mythème de « la revanche des berceaux », mais plutôt mis à mal dans le roman –, d'autant plus célébré par les doxographes traditionnels qu'il repose sur un don à fonds perdus de la personne fortement exalté par le biais d'une inversion idéologique typique, selon laquelle la grandeur équivaut au sacrifice de soi, et qu'il fait illusoirement voir la noblesse de la vie dans la beauté de l'abnégation ; perpétuer et souffrir afin d'atteindre au comble du sublime collectif, tels sont les atours de cette mission de poulinière historique toujours reliée aux nécessités de la survivance. À ces deux modèles s'oppose le bonheur tel qu'en lui-même la vie le changerait si survenait un prince charmant revu et corrigé par les circonstances, autrement dit un jeune (aspirant-) bourgeois venu quérir dans les sillons de la glèbe une pure Maria Chapdelaine pour l'élever dans la hiérarchie sociale et la transformer en une Doris Day pimpante ayant accès aux ressources techniques et à la logistique de la ménagère moderne, celle-là même dont s'occupent activement dans l'immédiat après-guerre les stratégies publicitaires de ce qui se nommera plus tard « la société de consommation ».

L'expression « bonheur d'occasion » indique par avance que l'héroïne du roman n'atteindra pleinement aucun de ces trois bonheurs-là. Si l'eudémonisme de Florentine exclut d'emblée le bonheur par renoncement à la chair et aux biens matériels qui sont l'apanage de la sœur chrétienne, il la mènera aussi à vouloir échapper au modèle de la maternité sacrificielle pour tenter d'accéder à la troisième possibilité. Elle devra cependant en rabattre, se contenter d'un bonheur de rechange, lequel lui permettra néanmoins de sauver la face et, au moins, de quitter sa condition, sans toutefois pouvoir assortir cette ascension sociale d'une félicité pleine et entière du cœur, du corps et de l'esprit[13].

LE ROMAN AU PLUS-QUE-PARFAIT

« À cette heure, Florentine s'était prise à guetter la venue du jeune homme qui, la veille, entre tant de propos railleurs, lui avait laissé entendre qu'il la

---

13. Une analyse sociologique complète du roman devrait mettre en évidence les raisons exactes de l'échec relatif de Florentine. Dans l'incipit du roman, l'une des causes préfigurant cet échec est le différend des cultures et des savoirs entre Florentine et Jean Lévesque (voir plus loin).

trouvait jolie » : la première phrase du roman comporte une surabondance de notations allusives, de détails et d'indices qui, à la fois, circonscrivent un imaginaire, orientent plusieurs possibilités de lecture et font apparaître l'inscription sociale de la fiction qui commence.

Tout lecteur de *Bonheur d'occasion* accueille *nolens volens* la curieuse étrangeté de l'indication temporelle : « À cette heure. » Curieuse étrangeté, familière étrangeté, mais non pas inquiétante étrangeté, car dans ces mots résonne l'expression familière « astheure », communément employée aussi bien pour marquer le temps que pour gronder, pour reprocher à quelqu'un de faire n'importe quoi de ce temps. Cette double voix est monosyntonisée dans une forme écrite où s'entend encore l'oralité de tous les jours. Elle est l'écho de la dualité plus générale du roman, intégrant des groupes sociaux urbains, souvent prolétarisés, avec leurs pratiques, leurs mœurs, leurs espoirs, leur langage, dans une forme et une écriture littéraires auxquelles ils n'ont ordinairement pas accès. Dans la narration qui s'ouvre, cette notation temporelle d'apparence anodine n'est sans conséquence ni sur la composition des personnages, ni sur le mode narratif utilisé, ni sur les relations du narrateur avec le personnage principal et avec le lecteur. Elle introduit une sorte d'itératif absolu, une phrase et une action (l'attente du jeune homme) qui pourraient se répéter *ad libitum* dans toutes les pages du roman et dans tous les romans de ce type. Elle indique une compétence maximale de la narratrice[14], laquelle sait l'état d'âme de son personnage au moment où elle le saisit dans le cours de son existence, mais cette omniscience est métissée aussitôt par le reste de la phrase qui montre que cet état d'âme est corrélé avec un arrière-fond de commerce verbal, avec une relation incertaine, opaque.

Ce métissage de l'omniscience par la complexité et la familière étrangeté de l'expression « à cette heure » font en sorte que la lecture des premiers mots libère une zone d'incertitude. On peut lire en ce sens : « Il va sans dire que, à cette heure-là, telle que je la connais, Florentine s'est prise à guetter, etc. », et en ce sens : « Il va sans dire que, à cette heure-là, toutes les Florentine se prennent à guetter, etc. » D'un côté, la lecture se dirige vers l'exploration des mobiles intérieurs, d'une psychologie singulière, d'une femme particulière ; de l'autre, elle passe au général, fait de l'étude de cas un exemple symptomal, se relie à la psychologie sociale. Le texte permet l'une et l'autre, mais tend à accentuer la légitimité et la nécessité de la seconde[15].

---

14. Narratrice ou narrateur ? Ce n'est pas le sexe de l'auteur qui détermine nécessairement celui de l'instance narratrice, mais l'œil, l'écoute, la connaissance des métiers féminins sont tels dans *Bonheur d'occasion* que, en conjoncture, un narrateur doué de la même attention et de la même compétence s'imagine assez mal.

15. Parce qu'elle présuppose une durée antécédente, la notation temporelle initiale laisse pressentir que l'attente de

La première phrase établit la hiérarchie des pratiques et organise la distribution des rôles sociaux qui seront de mise dans l'ensemble de la société du roman. Les rôles sont distribués en fonction du sexe : la jeune fille attend, le jeune homme a pris l'initiative. L'entrée en matière « une femme attend un homme » n'est guère originale en littérature et a connu quelques-uns de ses plus célèbres emplois dans les romans réalistes et naturalistes, dans *L'assommoir* de Zola par exemple. À l'inverse de Gervaise qui guette Lantier et qui voit par la fenêtre[16] les deux métaphores nodales de son destin, l'abattoir et l'hôpital, Florentine, elle, ne voit rien. Repliée sur elle-même, sur son habitude, elle vit dans un rêve et un espoir intériorisés, dans un univers de paroles dites par d'autres et qu'il lui faut décrypter non sans péril. Elle reste campée sur sa rumination, sur un souvenir de la veille.

Dans la première phrase du roman de Zola, « Gervaise avait attendu Lantier jusqu'à deux heures du matin », l'attente est une action consciente à laquelle l'emploi du plus-que-parfait octroie un surcroît de réalité et de présence : le signal que

---

Florentine se greffe sur un temps répétitif qui est à la fois celui de la routine du travail et celui du passé sans cesse recommencé des femmes de la famille Lacasse.

16. La fenêtre est à la fois métonymie du sexe et métaphore de la coupure avec un monde qu'elle ne peut qu'avaler, d'abord des yeux, plus tard de la bouche.

constitue cette attente est, directement, un symp-
tôme. Florentine n'est pas aussi dense que Gervaise, elle n'est pas non plus aussi faite d'avance.
Connotant la fragilité et la séduction, son prénom
est proche de « flore » (laurentienne), comme si
l'héroïne était un fragment de nature et de passé
semé en ville, là même où Florentine court le
danger d'être cueillie[17]. Le passage à la forme
pronominale « s'était prise » souligne que l'attente
est ici aussi une action, mais qu'elle n'est ni volontaire ni consciente. L'acte est imposé par les événements et la circonstance ; elle ne guette pas, elle
s'est prise à guetter. La nuance est importante, et

---

17. Après avoir cité cet extrait : « Mais que cette ville
l'appelait maintenant à travers Jean Lévesque ! À travers cet
inconnu, que les lumières lui paraissaient brillantes, la foule
gaie, et le printemps même, plus très loin, à la veille de faire
reverdir les pauvres arbres de Saint-Henri ! [...] Jamais elle
n'avait rencontré dans sa vie un être qui portât sur lui de
tels signes de succès. Il pouvait bien, ce garçon, n'être
qu'un mécanicien en ce moment, mais déjà elle ne doutait
pas plus de sa réussite dans l'avenir, dans un avenir très
rapproché même, que de la justesse de l'instinct qui lui
conseillait de s'en faire un allié », Gilles Marcotte le
commente comme suit : « Cependant, Florentine n'est pas
Jean Lévesque et il suffit de la référence au printemps, à la
nature, dans le texte qui vient d'être cité, pour mesurer la
distance. Jean Lévesque est détaché de tout passé ; Florentine au contraire est encore tout engluée dans la famille,
dans un système de valeurs qu'elle respecte et défie à la
fois, ne sachant plus à quel saint ou à quel diable se vouer.
Les autres personnages du roman ont une position claire,

pour plusieurs raisons. Outre que la forme pronominale saisit un fait d'expérience – la serveuse
attend les clients et elle connaît instinctivement,
c'est-à-dire par la force de l'habitude, l'heure de
leur arrivée –, elle laisse comprendre que Florentine ne guide pas réellement sa vie, que son sort
dépend d'autrui. Tout son destin semble résumé
dans cette tournure : elle s'était prise, elle sera
prise (littéralement et dans tous les sens). Dans
une perspective plus large, la société dans laquelle
l'héroïne se débat – c'est-à-dire le territoire social
auquel elle a accès – est un milieu où *on est pris*,
où le poids des amarres sociales est plus lourd que
dans d'autres lieux et dans d'autres classes.

La suite de l'incipit accentuera cette impuissance relative de Florentine en rapportant sa
confrontation avec Jean Lévesque. Du « jeune

_____

sans équivoque ; elle seule porte en elle-même le mouvement, la transition, le mélange de l'ancien et du nouveau,
la faute en somme. Elle émeut certes, mais elle est trop
calculatrice – par la force des choses, assurément – pour gagner l'entière sympathie du lecteur. Elle est bien l'exploitée-
prostituée dont parle Lukács : victime de l'évolution sociale,
mais entrant dans le mouvement, se prêtant au jeu qui
attaque en elle toutes les valeurs authentiques. Seule, dans
Bonheur d'occasion, Florentine entre en ville, dans la civili-
sation industrielle, capitaliste ; Jean Lévesque y est déjà et
les autres, Rose-Anna, Azarius ou même Emmanuel ne font
que la subir. Il va sans dire qu'elle paie le prix de la
transformation par une perte de valeurs, on oserait dire
d'humanité, dont aucun autre personnage n'est victime à ce
point » (1989 : 412).

homme[18] » que Florentine guette, la narratrice rapporte qu'il « lui avait laissé entendre qu'il la trouvait jolie ». Dans la rhétorique et la pragmatique amoureuses traditionnellement légitimées, la chose semble on ne peut plus normale : c'est le jeune homme qui a pris l'initiative ; l'approche n'a pas été directe, mais allusive et branchée sur le lieu commun par excellence de la drague classique : « la jeune fille est jolie ». Pourtant, l'énoncé est beaucoup plus chargé de sens que cela. Il dit aussi que le monde n'est pas facilement lisible pour Florentine. Elle ne possède ni assez de savoir (social) ni assez de pouvoir (social) pour déduire ce qu'il faudrait déduire des événements qui adviennent et qui sont extérieurs à sa routine et au fonctionnement ordinaire de son milieu. Dès qu'elle se trouve en présence de la nouveauté, dès qu'elle quitte le monde qui est le sien (celui de sa famille et du Quinze-Cents) et dont elle connaît raisonnablement les rouages, les usages et les secrets, il lui faut toujours deviner, conjecturer, s'aventurer, parier sur l'inconnu avec tous les risques que cela comporte. À l'inverse de Jean, elle n'a pas les moyens de lire

18. Aucun mot n'est anodin. « Jeune homme » signale que Jean Lévesque est disponible, célibataire, mais donne aussi une indication physique et l'inclut dans l'ensemble des signes marquant la nouveauté ou le renouveau, signes survenant dans un monde dont l'onomastique elle-même porte la trace de la vétusté.

plusieurs mondes ; cette incompétence atteindra son acmé et sera symbolisée par l'incompréhension qu'elle éprouvera devant les formules de trigonométrie que Jean a entrepris de mémoriser. Que Jean la trouve jolie ou, du moins, qu'il le lui ait laissé entendre, mesure le seul capital social réel dont dispose Florentine dans son pari sur l'inconnu. La valeur de cette mise de départ ne dépend que partiellement d'elle, et l'attitude type de Florentine tout au long du roman (photographiée en train de se farder et de se repoudrer, en train de « se refaire une beauté » comme on dit) revient à masquer sa misère et à mettre en valeur son capital ; ce faisant, elle cherche un associé, et serait prête à changer de nom pour accéder à un autre monde que le sien. Or, au début du récit et, pratiquement, dans l'entièreté de celui-ci, Florentine a un prénom, mais pas vraiment de nom. En cette guise, le roman raconte l'histoire d'une certaine Florentine Lacasse (le lecteur apprendra ce nom plus tard) qui cherche à changer de lieu, de condition, de classe, de vie, et qui n'a pour réaliser ce changement que la possibilité de s'en remettre à la décision et au choix d'un autre, de s'en remettre à l'inconnu.

Ces rapides observations suffisent à le montrer : l'incipit de *Bonheur d'occasion* entrecroise plusieurs récits potentiels et plusieurs modèles narratifs convenus que la narration romanesque a pour objet et pour fonction d'articuler, de varier, de nouer, de réunir sous une seule tresse fictive.

Ce sont entre autres le conte (Il était une fois une jeune femme attendant l'élu de son cœur...), le modèle de la rencontre des futurs amants (deux jeunes gens jouent au jeu des préliminaires verbaux amoureux), un récit idéologique (la venue du sauveur), etc. L'écriture romanesque a pour fonction d'assurer et d'assumer une semblable compatibilité narrative de récits et de préalables fictifs ; la socialité du texte relève essentiellement de la façon dont cette conarrativité est organisée et de la façon dont le roman se sert à cette fin des axiologies, des débats sociodiscursifs, des métaphores figées, des évidences, des manières conjoncturelles de raconter qui prévalent dans le discours social contemporain.

CULTURES ET SAVOIRS

Toute pratique socioculturelle nécessite l'acquisition d'un savoir, la connaissance d'habitudes et de routines, des négociations avec des usages, des permissions et des interdits, qui font que, par elles, on acquiert telle place et tel rôle, que, par elles, on se sent socialement bien ou mal, accepté ou acceptable, admis ou rejeté, bien jugé ou déclassé, compris ou mal vu, en sorte que chaque acteur peut user de cette compétence relative dans un jeu permanent d'interactions avec les autres acteurs et avec les règles tacites ou explicites du milieu où il évolue.

Dans l'incipit de *Bonheur d'occasion,* l'opposition entre les possibilités d'ascension sociale qui s'offrent à Florentine Lacasse et à Jean Lévesque est médiatisée par les cultures[19] et les savoirs dont disposent les personnages eux-mêmes, ainsi que par la sapience propre que détient une instance tierce : la curieuse narratrice déléguée en texte par Gabrielle Roy. D'un point de vue qui cherche à comprendre ce que le roman connaît du social, il y a donc trois instances cognitives : Florentine, Jean Lévesque, la narratrice.

Dès les premières pages, Florentine et Jean Lévesque sont affrontés à quatre univers de signes, à quatre orbitales de sens : le Quinze-Cents, synecdoque du quartier de Saint-Henri, lui-même synecdoque de Montréal et métonymie d'une communauté très large ; l'univers de l'amour, des signes et des ruses de la séduction ; l'univers du savoir proprement dit et de la culture livresque ; l'univers du langage, de la communication. Dans la conjoncture symbolique où émerge le roman, il s'en attendrait à vrai dire un cinquième : le monde des signes cosmologiques ou métaphysiques. Si l'on se souvient de la puissance du catholicisme dans les années quarante au Québec, si l'on pense que les romans qui entourent *Bonheur d'occasion* sont des

---

19. Sauf quand un adjectif viendra en préciser le sens (dans « culture livresque » par exemple), le mot « culture » s'entendra ici au sens de la sociologie empirique. Il désigne par suite les formes acquises du comportement et des pratiques, de même que le sens qui leur est donné et reconnu par un acteur et son milieu.

romans comme *La fin des songes* de Robert Élie, *Au pied de la pente douce* de Roger Lemelin, *Le gouffre a toujours soif* d'André Giroux, *Le beau risque* de François Hertel, voire même *Poussière sur la ville* d'André Langevin et *Beauté baroque* de Claude Gauvreau, il est étonnant d'observer qu'il n'y a pas la moindre ouverture vers le cosmos, vers une quelconque entité transcendantale, moins encore vers quelque élévation métaphysique. Le début du roman a lieu en vase clos. La seule croyance de Florentine est une croyance qui ne décolle pas du sol, qui demeure dans un cercle fermé : « Il ne lui arrivait pas de croire que son destin, elle pût le rencontrer ailleurs qu'ici, dans l'odeur violente du caramel, entre ces grandes glaces pendues au mur où se voyaient d'étroites bandes de papier gommé […] » (BO-11). Et lorsque son regard s'évade, il ne fuit que « vers les comptoirs du magasin ». Seuls des événements et des causes extérieurs peuvent venir rompre cette fermeture sur soi de l'héroïne, du magasin, du quartier. *Bonheur d'occasion* est le roman d'un quartier de ville ébranlé par le passage d'un train (et ce train peut se métamorphoser : il devient tantôt la guerre, tantôt le cinéma américain, ici l'ambition, là le désir).

LIRE LE QUINZE-CENTS ET SAINT-HENRI

Florentine est l'émanation même du quartier de Saint-Henri, elle évolue comme un poisson dans l'eau dans l'univers déclassé du Quinze-Cents. Entre le magasin-restaurant et la serveuse, le texte établit immédiatement de nombreuses correspondances. La nervosité, le grouillement, la fièvre du lieu se répandent en elle comme par osmose : « La fièvre du bazar montait en elle, une sorte d'énervement mêlé au sentiment confus qu'un jour, dans ce magasin grouillant, une halte se produirait et que sa vie y trouverait son but » (BO-11). Cette phrase pose paradoxalement que l'espoir dépend non d'un élan, mais d'un arrêt. Le magasin-restaurant est fondamentalement un lieu de passage, et c'est un lieu problématique[20]. Lieu de passage, il l'est non seulement d'un point de vue empirique parce que des gens y passent, non seulement d'un point de vue proxémique parce que

---

20. Problématique à l'instar de son héroïne, propose Marcotte (voir note 17). Il manque cependant un petit quelque chose pour faire de Florentine une héroïne parfaitement lukácsienne. En effet, Florentine n'est pas une « conscience » et elle n'a qu'une perception ridiculement fragmentaire de la totalité significative que le roman construit autour d'elle. Elle offre en quelque sorte le cas étonnant d'une héroïne problématique, mais de type idéaliste empirique. En termes proches de ceux de la sémantique qu'affectionnait Lukács, il faudrait dire que l'âme de Florentine n'est ni trop petite ni trop grande pour le monde où elle évolue, et le roman qui raconte sa quête n'a droit ni au grotesque ni à l'ironie. Ne pourrait-on soutenir qu'il n'a droit qu'à une forme d'empathie retenue, parfois amère, pour la médiocrité et pour les formes endogènes de survie que celle-ci produit ?

des gens y bougent (ça va, ça vient, ça part), mais il l'est surtout parce que se réalise en lui un passage entre une ancienne vie communautaire (la vie de quartier, la vie d'un magasin-restaurant de quartier où l'on connaît les gens, où les clients se connaissent et jobardent la « waitriss », où dînent essentiellement des habitués) et une vie urbaine trépidante, où la convivialité et la familiarité sont minées par le règne des seuls intérêts privés, par la solitude et, sinon déjà par l'empire du plus total anonymat, au moins par la distance que la pause du dîner instaure entre les gens (les gens sont devenus des « dîneurs » que Florentine doit servir, et son regard les fuit). Des segments comme « la fièvre du bazar », « une sorte d'énervement mêlé au sentiment confus », « un magasin grouillant », « le son bref, crépitant du tiroir-caisse » disent l'emprise de cette vie urbaine nouvelle sur le petit commerce encore taillé à la mesure de la petite vie communautaire.

Gros de cette tension entre l'ancienne vie conviviale et le nouveau monde quantique de la ville, le Quinze-Cents ne cède pas entièrement au nouveau. Il fait ce qu'il peut pour suivre, s'adapte vaille que vaille, se maquille, arborant « entre ces grandes glaces pendues au mur [...] d'étroites bandes de papier gommé, annonçant le menu du jour » (BO-11). Ce qu'il exhibe en somme, c'est une citation de ville, alors que la ville au goût du jour, animée par le succès, la ville de Jean est inévitablement ailleurs. Le magasin-restaurant, happé par le temps qui va mais avec retard, donne le change, dans tous les sens de l'expression. En cela, il est doublement au diapason de l'héroïne : à la fois parce qu'en lui « se résum[e] pour elle le caractère hâtif, agité et pauvre de toute sa vie passée dans Saint-Henri » (BO-11) et parce que, dans son adaptation bancale au monde nouveau de la ville, ses décorations ressemblent à s'y méprendre au fard dont ne cesse au fil des pages de se couvrir et de se couvrir encore Florentine, véritable maniaque du *make-up*. En se grimant, la jeune femme se transforme en marchandise chatoyante et rejoint l'éclat sans classe des objets qui l'entourent : « [...] et dans le miroitement de la verroterie, des panneaux nickelés, de la ferblanterie, son sourire vide, taciturne et morose s'accrochait sans but à quelque objet chatoyant qu'elle ne voyait pas » (BO-11).

Que sait Florentine de la vie à Saint-Henri et dans l'enceinte du Quinze-Cents ? Elle en sait tout, elle en a fait le tour, ce qui, en soi, pour un personnage romanesque, est terriblement ennuyeux. Pour qu'adviennent du roman et du romanesque, il faut absolument que le « résumé de son passé » ne soit pas aussi celui de son avenir, qu'elle puisse changer de monde ou, au moins, qu'elle en caresse intensément le rêve, le poursuive, quitte à en rabattre en affrontant le feu de la réalité. Les premières pages du roman montrent que Florentine connaît parfaitement sa « définition de tâche », comme on dit dans le langage syndical d'aujourd'hui. Elle maîtrise aussi bien tous les aspects pratiques du service qu'elle doit accomplir (« Par-delà

les cinq ou six dîneurs qu'elle avait à servir... »,
BO-11) que la façon de gérer son monde, usant à
l'endroit des clients (masculins bien sûr) d'un sub-
til dosage de permissivité et de maintien à distance
qui lui garantit à la fois leur intérêt et leur respect.

La narratrice possède un coup d'œil digne des
meilleures études de psychologie sociale associée.
L'incipit du roman montre en effet Florentine dans
un moment d'inactivité, dans un moment de relâ-
chement où elle se laisse envahir par ses pensées,
où elle n'est pas sur ses gardes comme elle doit
l'être en permanence quand elle officie :

> *Sa tâche de serveuse laissait ainsi à sa pensée,*
> *non point de longs moments pour revenir au*
> *souvenir excitant et trouble de la veille, mais de*
> *petits fragments de temps où elle retrouvait au*
> *fond d'elle-même le visage de ce garçon inconnu*
> (BO-11).

C'est alors qu'elle est perdue – au propre comme
au figuré – dans ses pensées que Jean va apparaître. Il est important d'observer que le texte ne
dit jamais que Jean Lévesque est entré par une autre porte que celle qu'elle surveillait. En fait, Jean
apparaît au sens littéral du verbe apparaître, ce qui
revient à dire qu'il était toujours déjà là :

> *Et soudain elle fut déroutée, vaguement humiliée.*
> *Le jeune inconnu, pendant qu'elle surveillait la*
> *foule entrant au magasin par les portes à bat-*
> *tants vitrés, avait pris place à la longue table de*
> *simili-marbre et, d'un geste impatient, l'appelait*
> (BO-12).

« Déroutée », « humiliée », ces mots sont très forts, mais il y a de quoi : elle joue *at home,* et la voici battue sur son propre terrain, par quelqu'un qu'elle n'a pas vu venir.

La répétition du mot « inconnu » dans les expressions « un visage inconnu » et « le jeune inconnu » désigne ce qui échappe au savoir socio-professionnel et communautaire de Florentine. Différente de la nouveauté de ferblanterie maquillée du Quinze-Cents, la modernité incarnée par Jean Lévesque est pragmatique et guidée par des valeurs concrètes : elle est entreprenante (jusque dans la drague), planifiée, dotée d'un but précis, réussir, qu'un moyen, l'étude, doit permettre d'atteindre (machiniste mécanicien dans une fonderie, Jean Lévesque veut obtenir un diplôme d'ingénieur). Le jeune homme est à ce point étrange par rapport à la façon dont Florentine connaît son milieu qu'il exerce une sorte de fascination sur elle, fascination doublée d'un insistant énervement. L'agacement qu'elle éprouve est certes l'indice d'un désir qu'elle ne s'avoue pas encore à elle-même, mais il est aussi celui de celle qui ne comprend pas vraiment ce qui arrive ni ce qui lui arrive, de celle qui joue perdant là où elle a coutume de dominer la situation. Ce qui rend Jean Lévesque fascinant et agaçant cependant, c'est aussi le fait paradoxal qu'il vient comme elle de Saint-Henri :

> — *Tu es d'ici, de Saint-Henri ? demanda-t-il.*
> *Elle balança les épaules, lui fit un sourire ironique et vexé du bout des lèvres en guise de réponse.*

> — *Moi aussi, ajouta-t-il, avec une condescendance moqueuse. Alors on peut être amis ? Non ?* (BO-14).

Cet échange est d'une cruauté admirable : Jean voit par avance que Florentine est de Saint-Henri (le quartier se lit à la fois dans sa maigreur et dans son fard), alors qu'il est obligé de lui dire qu'il en provient, sans quoi elle ne le devinerait pas. La fascination exercée par le jeune homme résulte de ce qu'il est étranger au sens le plus fort du terme, c'est-à-dire non pas étranger parce que venant d'ailleurs, mais étranger parmi les siens, issu des siens. Il a décidé de rompre, mais sa rupture se fait de l'intérieur, sur le mode paradoxal de *la rupture au milieu de.* Jean Lévesque n'est pas un survenant qui arrive, c'est un survenant qui est là, et qui va partir.

La logique de l'argument de Jean (tu es de Saint-Henri, donc on peut être amis) prouve que l'inconnu connaît et maîtrise lui aussi le modèle de la vie communautaire ancienne. Mais il en joue sciemment, l'utilise pour son propre intérêt, alors que Florentine le connaît d'instinct, par la force de l'habitude et de l'*habitus*. Comme si elle tenait une gageure[21], elle va néanmoins prendre le risque de

---

21. Il s'agit bel et bien pour elle d'un pari, ce qui lui apparaît clairement un peu plus tard dans le roman : « Tout cela se passa en moins d'une minute. Brusquement, Florentine se remit sur pieds, droite, nerveuse, et le sourire revint de lui-même sur ses lèvres rougies. De toutes les pensées confuses qui avaient traversé son esprit, elle ne gardait

se jeter vers l'inconnu, quoiqu'elle n'ait pour l'atteindre et le conquérir que les armes du Quinze-Cents : son corps fardé, la décoration de son rouge à lèvres et une identité saint-henrienne (sa maigreur reporte sur son corps la pauvreté du quartier) dont Jean veut absolument se débarrasser, qu'il veut littéralement tuer. Sa décision de poursuivre la drague et d'inviter Florentine « aux vues » est accompagnée par cette phrase on ne peut plus claire : « Et ce fut en lui comme une poussée de vent destructeur » (BO-15).

LIRE LE MONDE ET LES SIGNES DE L'AMOUR

Que sait Florentine de l'amour ? À la fois peu et beaucoup de choses.

Elle sait que Jean Lévesque va revenir, du moins elle y compte bien, car, à l'ordinaire, un jeune homme *qui, entre de nombreux propos railleurs, laisse entendre qu'elle est jolie,* revient. Elle n'ignore pas que les railleries de la veille relèvent d'un code amoureux stéréotypé et sait comment marche le jeu de demi-drague mi-oisive mi-sérieuse que jouent des clients avec une jeune serveuse comme elle. À la question de Jean : « Mais tu es mademoiselle qui ? Tu me le diras pas à moi ? »,

---

qu'une impression nette, âpre comme son sourire figé : c'est qu'il fallait jouer maintenant, immédiatement, tout ce qu'elle était encore, tout son charme physique dans un terrible enjeu pour le bonheur » (BO-20).

elle répond : « Et pis après [...], vous me demanderez où c'est que je reste et qu'est-ce que je fais ce soir. Je vous connais, vous autres ! » (BO-12).

Elle sait discerner dans les clients celui qui pourrait changer son destin, lui apporter « cette halte » dont elle rêve, et elle a su manœuvrer pour attirer l'attention du bon candidat : « La première fois qu'il était venu au Quinze-Cents, elle l'avait tout de suite remarqué et s'était arrangée pour le servir » (BO-16). Tout donne d'ailleurs à croire qu'elle va vite en affaire, que cette première fois, c'était il n'y a pas très longtemps.

Elle sait aussi – sa mère le lui a appris à son corps défendant – qu'une jeune femme de son milieu et de son temps doit savoir jusqu'où elle peut aller. Le quartier ne porte pas le nom d'un saint pour rien. Dans une société où les mœurs sont encore sous la surveillance étroite d'un puissant clergé, l'ostracisme à l'égard des « filles-mères », le mépris pour les « enfants naturels » et l'anathématisation du « péché de chair » restent constamment à l'arrière-plan de l'action. Mais, pour Florentine, il n'y a pas que l'axiologie catholique qui fasse du domaine de l'amour un danger. Son espoir de sortir de Saint-Henri est également lié à une gestion efficace du désir et des sentiments, laquelle est rendue compliquée par les circonstances :

> *Ses compagnes de travail, Louise, Pauline, Marguerite, toutes, sauf Éveline, la « gérante », acceptaient par-ci par-là une invitation faite en blague en se taquinant à l'heure du lunch. Pauline*

> *disait que ces aventures n'étaient pas dange-*
> *reuses à condition que le garçon vînt vous pren-*
> *dre à la maison pour n'aller qu'au cinéma. On*
> *avait alors tout le loisir d'étudier son ami et de*
> *décider si oui ou non on continuerait à le voir.*
> *Louise s'était même fiancée à un jeune soldat*
> *qu'elle avait d'abord connu au restaurant. De-*
> *puis qu'on était en guerre et que les jeunes gens*
> *nouvellement enrôlés éprouvaient le goût de se*
> *lier avant de partir pour les camps d'entraîne-*
> *ment, on voyait des amitiés se nouer rapidement*
> *et dans des conditions bien nouvelles. Quelques-*
> *unes aboutissaient au mariage* (BO-16).

La guerre modifie les usages du milieu et les rituels réglementés de l'amour. Elle catalyse le change-ment, mais introduit du même coup de nouveaux dangers. Malgré ceux-ci, chez Florentine la pru-dence sera toujours dominée par l'appel du vide et du large, par le désir, par l'envie, par l'avidité :

> *Sous le trait surélevé des sourcils épilés que pro-*
> *longeait un coup de crayon, les paupières en*
> *s'abaissant ne livraient qu'un mince rayon de*
> *regard mordoré, prudent, attentif, et extraordi-*
> *nairement avide* (BO-13).

Ce que Florentine ne connaît pas, c'est Jean Lévesque et, surtout, ses intentions. Dans cette petite guerre qu'ils vont se livrer l'un à l'autre, elle est dès le départ perdante. Le jeune homme est en pleine maîtrise de la situation : il ne lui a pas dit qu'il la trouvait jolie, il le lui a laissé entendre ; elle ne sait de lui que ce qu'il consent à lui dire, son origine (Saint-Henri) et son nom (« Moi, c'est

Jean... Jean Lévesque », BO-12). C'est par l'intermédiaire des yeux de Jean que le lecteur apprend
que ce que Florentine sait de l'amour n'est pas
seulement dû à l'horizon érotique qu'ont pu lui
ouvrir son milieu et sa famille (à son *habitus*
amoureux pourrait-on dire), mais aussi au rêve
éveillé que vivent les jeunes filles de ce milieu-là
par la lecture des romans-feuilletons :

> *Et le jeune homme eut soudain une vision de ce*
> *que pouvait être sa vie, dans l'inquiet tourbillon*
> *de Saint-Henri, cette vie des jeunes filles fardées,*
> *pimpantes, qui lisent des romans-feuilletons de*
> *Quinze-Cents et se brûlent à de pauvres petits*
> *feux d'amour factice* (BO-14).

Les lectures sont à la mesure des marchandises du
magasin et les brûlures d'amour factice à l'aune de
« la fièvre » qui monte du bazar. En dépit du
caractère distancié de ce jugement rapporté, il n'est
pas interdit de penser que Jean Lévesque garde lui
aussi quelque vestige d'une psychologie amoureuse archaïque (d'ailleurs aussi colportée par ce
type de romans), dans laquelle le profil du mâle
dessiné associe un vague sens du devoir de bien-
faisance, une définition condescendante de la fai-
ble femme, une pitié autovalorisante mêlée de
désir et de lâcheté, ainsi qu'une délectation commode envers un sentiment d'amour qui confine à
la charité due aux inférieurs. Ce sont aussi ces
représentations de l'amour, à la fois celle, fataliste,
transmise par le milieu et celle, illusoire (« factice »), relayée par les romans à quinze sous que

Jean veut détruire en possédant le corps de Florentine. Il en va pour lui en amour comme en société : parvenir à ses fins exige l'acceptation et l'application de nouvelles règles. Dans le domaine amoureux, le nouveau code est celui de la séduction conquérante. Il s'agit d'un « jeu cruel » (BO-14), au cours duquel le joueur prend Florentine au piège de son marivaudage, en faisant donner des armes rhétoriques que la jeune fille ne connaît guère : le persiflage, l'argument *ad hominem* (*ad feminam* serait plus juste), l'ellipse de l'acquiescement (« Tu viendras aux vues avec moi ce soir ? [...] Alors c'est entendu, fit-il... », BO-15), l'ironie.

La rencontre de Jean et de Florentine est un véritable affrontement et l'écriture de Gabrielle Roy est, dès les premières pages, d'une violence qui n'a pas été souvent soulignée. L'« odeur violente du caramel », la sauvagerie des corps (« Elle aimait la façon dont ses cheveux noirs, abondants, se dressaient tout droits et hérissés. Elle avait par instants le goût de saisir ces cheveux forts et sauvages à pleines mains », BO-16), l'avidité de Florentine, le « vent destructeur » qui traverse Jean, tout cela indique que ce sont deux prédateurs qui s'affrontent. Ils le font cependant en toute juvénilité, et avec ce rien de douceur que partagent les gens issus d'un même quartier. Mais l'un est plus fort que l'autre.

Que Jean soit celui qui, dans cette joute, dirige d'entrée le jeu se vérifie à plusieurs traits explicites. Il possède par avance le « petit » nom, c'est-à-dire l'identité intime de Florentine[22]. Il est capable de se placer sur « son plan à elle », de descendre jusqu'à cette « brutale familiarité » où Florentine se sent à l'aise, mais il peut demeurer sur son « plan à lui », et changer de « plan », ce que la jeune femme ne peut faire. Cette capacité de « changer de plan » est la version réduite de la capacité de changer de monde dont Jean détient seul la possibilité, en sorte que, en toute logique narrative, le véritable héros romanesque, ce devrait être lui. L'héroïne de *Bonheur d'occasion* est en somme elle-même une héroïne d'occasion. De plus, au fur et à mesure que se déroule le jeu, Jean mesure la portée de ses coups, évalue leur impact, revoit sa tactique, et il abandonne le jeu quand et comme il le veut :

> *Voilà ce qu'elle haïssait tant chez ce jeune homme : le pouvoir qu'il avait, après lui avoir fait perdre pied, de l'éloigner de sa pensée, de l'abandonner comme un objet qui, à ses yeux, ne présentait plus d'intérêt* (BO-15).

CULTURE ET SAVOIRS LIVRESQUES

Pour lire le monde, Florentine dispose de deux types de récits. Le premier est le conte, un conte délabré toutefois, car si le motif de la femme attendant recycle les récits du type « un jour mon prince

---

22. Alors que c'est lui et lui seul qui décide de lui donner le sien ; il le reprendra d'ailleurs, puisque Florentine ne deviendra jamais Madame Lévesque.

viendra », l'attente est ici mêlée d'irritation, lestée d'espoirs de réussite matérielle, désidéalisée, et elle a lieu dans un univers livré tout entier à la musique du tiroir-caisse, autrement dit au règne hégémonique de la valeur d'échange. Le second est celui des romans-feuilletons de Quinze-Cents que lisent, selon Jean, les « jeunes filles fardées, pimpantes ». Ces romans, comme on sait, ne sont pas sans lien avec le conte précité, puisqu'ils en adaptent maintes recettes narratives (de la thématique sentimentale à l'obligatoire *happy end*), mais ils ajoutent un trait important à la relation que peut avoir Florentine avec son environnement : son caractère répétitif. Le rêve éveillé toujours recommencé par la lecture d'une forme romanesque qui privilégie l'éternel retour du même est le baume consolant de la routine toujours recommencée des jeunes serveuses du Quinze-Cents. Pour changer de monde, il faudrait que Florentine soit capable de casser le rythme et de changer de rythme ; elle en possède assurément l'envie, mais pas réellement le moyen.

Caractérisée par les compétences sociales qu'ils possèdent à l'endroit de leur milieu, la relation entre les deux personnages principaux l'est également par la distance culturelle qui les sépare. Quand Jean rompt le jeu – cette première rupture préfigure l'abandon ultérieur –, il le fait en sortant un livre :

> — *Alors, c'est entendu, fit-il... Apporte-moi donc maintenant votre fameux spécial.*

> *Puis il tira un bouquin de la poche de son par-*
> *dessus qu'il avait jeté sur une chaise près de lui,*
> *l'ouvrit et s'absorba immédiatement* (BO-15).

Le mot « bouquin » est la trace en discours de la voix de Jean, il est aussi étranger à la prose de la narration qu'au vocabulaire de Florentine. Jean ne lit ni de la poésie, ni un roman, ni un essai. Sa lecture est beaucoup plus sérieuse :

> *Mais la curiosité de voir ce qu'il lisait l'emporta*
> *sur son mouvement de dépit. Elle se pencha*
> *audacieusement sur le livre ouvert. C'était un*
> *traité de trigonométrie. La forme des losanges,*
> *des triangles, le noir des équations la firent*
> *sourire au-dedans d'elle-même d'une totale*
> *incompréhension* (BO-17).

Sourire d'incompréhension n'est déjà pas facile, mais *sourire au-dedans de soi d'une totale incompréhension* est une véritable prouesse[23]. Abstraite et analytique mais permettant une action concrète sur le monde, combinant des symboles universels qu'il faut avoir appris[24], la trigonométrie est totalement étrangère au savoir et au monde de Florentine. Sa

---

23. La bizarrerie de cette expression a été l'élément déclencheur de la lecture proposée ici. Elle attire en effet l'attention sur le fait que l'incipit du roman est parcouru par un champ sémantique du « savoir/connaître » auquel sont reliées des notions comme l'inconnu, l'incompréhension, l'étude, etc.

24. Si l'on ajoute à cela le caractère urbain de Jean Lévesque et sa lucidité quant au devenir du « plan de carrière » qu'il a choisi, il ne serait pas fou de relier ce

présence à l'intérieur d'un roman que l'histoire littéraire retient pour celui qui marque l'accès de la littérature québécoise à la grande tradition réaliste urbaine est plus qu'étonnante : alors que la collectivité canadienne-française va enfin pouvoir se féliciter d'accueillir une œuvre littéraire qui ancre sa symbolique dans du réalisme (pour dire vite), la société est, dans les faits, déjà passée du monde des lettres au monde des équations et des calculs. Dès lors, il n'y a pas que le conte et les romans-feuilletons lus par les « jeunes filles fardées, pimpantes » qui sont dépassés, le roman qu'on lit est lui-même dépassé, en retard et, pour tout dire, symboliquement et idéologiquement d'occasion.

LANGAGE ET COMMUNICATION

La distance entre Florentine et Jean est aussi affaire de langage. La jeune femme est la première à s'en apercevoir :

> Et cependant cette note familière, quelque peu vulgaire qui mettait le jeune homme sur son plan à elle, lui déplaisait moins que son langage, sa tenue habituelle dont elle sentait vaguement qu'ils établissaient entre eux une distance (BO-13).

Les cinq actes illocutoires qui sont attribués à Florentine dans l'incipit (« C'te question ! » ; « Et pis après […], vous me demanderez où c'est que je

---

personnage à une idéologie alors en émergence dans le Québec des années quarante, celle de *Cité libre*.

reste et qu'est-ce que je fais ce soir. Je vous connais, vous autres ! » ; « O.K. ! […], qu'est-ce qui vous faut à c'te heure ? » ; « C'est pas surprenant […] que vous parlez comme un gros livre à lire des affaires comme ça… » et « Un spécial à trente cennes ! ») montrent qu'elle parle *le saint-henrien*, c'est-à-dire un langage direct, familier, utilitaire, « populaire », à la syntaxe parfois minimale, voire, d'un point de vue normatif, fautive, avec une abondance d'apocopes et d'ellipses.

Ce langage-là n'est pas ou n'est plus celui de Jean Lévesque, lui qui, d'après son interlocutrice, parle « comme un gros livre » (et non comme un « bouquin »). Mais il le connaît et peut le mimer à l'intention expresse de Florentine, dans le but de se mettre « sur son plan à elle », pour la séduire, ce que montre, par exemple, dans son infantilisation même de la parole, l'ellipse presque systématique de la négation : « Tu me le diras pas à moi ? », « J'étais pas encore rendu à te demander ce que tu fais à soir. […] J'étais vraiment pas si pressé que ça » (BO-13). C'est un langage que Jean adopte délibérément, à preuve qu'il n'est pas celui qui s'impose à lui dans sa pensée intérieure : « Est-ce que j'aurais honte de sortir avec elle ? » (BO-14). À l'inverse de Florentine, le jeune homme est donc capable de jouer lucidement et tactiquement de et sur plusieurs niveaux de langage, quoiqu'il vienne comme elle de Saint-Henri.

Deux scories troublent les relations entre la narration et le discours rapporté des personnages.

La première concerne l'expression « À cette heure », transcrite « à c'te heure » dans le propos de Florentine. La seconde renvoie à la voix intérieure de Jean. Quand le discours indirect libre s'ouvre pour laisser passer directement cette voix (« Elle l'étonnait plus qu'elle ne l'attirait. Et même cette phrase qu'il venait de prononcer : "Qu'est-ce que tu fais ce soir ?"... il ne l'avait pas prévue »), il s'ensuit une légère dissonance. Jean n'a en fait jamais prononcé cette phrase telle quelle, il a plutôt dit : « Eh bien ! Florentine, qu'est-ce que tu fais à soir ? » De ces deux inconséquences il résulte que la narratrice est socialement polylingue comme Jean. Bien qu'elle connaisse Florentine et la vie de son quartier intimement, de l'intérieur, avec une sensibilité très fine, elle se situe comme Jean à distance culturelle de l'héroïne. La délégation à la narratrice du devoir de raconter peut dès lors se lire comme ceci : la romancière a le même désir que Florentine, celui de changer de monde ; à l'inverse de son héroïne, qui ne réussit son projet qu'à demi en se rabattant sur Emmanuel Létourneau, elle réussit parfaitement ; elle est en cela comparable à Jean Lévesque, mais elle choisit d'autres moyens que ceux qu'elle accorde à ce dernier ; ce n'est pas grâce à un traité de trigonométrie et à une sortie hors du milieu qu'elle parvient à ses fins, mais grâce à un roman qui transcende le demi-échec vécu par son héroïne. Semblable à Flaubert qui conjurait l'échec de Frédéric Moreau par la réussite du roman qui racontait l'histoire de ce dernier, la romancière est une Florentine Lacasse qui escompte ne pas être forcée de revoir ses objectifs à la baisse.

SYNTHÈSE, INTERPRÉTATION

Il serait tout à fait concevable de ne lire dans l'incipit de *Bonheur d'occasion* que la mise en fiction d'un conflit d'*habitus,* puisque les premières pages du roman dévoilent les anticipations de leur avenir que nourrissent deux personnages, et relient ces anticipations à diverses conditions existentielles objectives, passées et présentes. L'art de Gabrielle Roy déborde cependant toute lecture activée par une pensée à tendance trop déterministe ou trop statique. Si l'incidence de l'*habitus* sur les choix et la psychologie des personnages est assurément présente, il n'explique pas tout et ne rend pas compte de tout ce qui se passe dans la scène d'ouverture du roman. Loin de n'être que les jouets de circonstances ou de conditions inconscientes, Florentine et Jean sont actifs par rapport à ces circonstances et à ces conditions, ils s'en dépêtrent partiellement, négocient avec les conventions et les chemins tracés. Contrairement à une idée vulgaire qui tend à faire croire que seules des thématiques immédiatement sociales (?) sont passibles d'un examen sociocritique, il faut prendre acte de ce que la littérature n'avoue jamais autant sa socialité que lorsqu'elle *parle d'autre chose* que du social, d'un crépuscule qui bascule dans l'aube, des mérites de l'énumération ou, en l'occurrence, d'un

complexe désir amoureux surgissant entre une
jeune serveuse et un jeune mécanicien de Saint-
Henri. Le déport des contradictions sociohistoriques dans le récit d'un amour, serait-il d'occasion,
brouille les cartes et les données sociologiques,
associe des sens curieux aux trajectoires sociales
esquissées. Le point de vue tour à tour interne et
externe adopté par la narration est lui aussi significatif. Le recours fréquent, en une manière d'omniscience où se mêlent de l'empathie et de l'ironie,
à des voix intérieures rapportées dans le coulé de
la prose dégage pour chaque personnage en présence une zone d'individualité irréductible, un espace de liberté relative et une réserve de jugement
qui interdisent de ne voir dans leur relation qu'un
jeu social qui ne serait que mécanisme et dont ils
ne seraient que les marionnettes. Il n'y a d'ailleurs
pas de grand roman sans cela ; le célèbre débat qui
opposa naguère Sartre et Mauriac sur la « liberté »
du personnage romanesque ne portait au fond que
sur cette question.

Outre qu'elle met en relief la façon dont l'incipit de *Bonheur d'occasion* souligne l'importance
du sexe à la fois dans la distribution des rôles sociaux et dans les possibles imaginaires que les
individus entrevoient à l'égard de leur destin, la
lecture qui vient d'être proposée montre que la
relation amoureuse entre Jean Lévesque et Florentine Lacasse se diffracte et se réfracte dans un différend multiforme des cultures et des savoirs permettant ou non aux individus d'évoluer dans le

milieu qui est le leur. Cela n'est pas sans faire penser aux travaux conduits par Leon Festinger ou par Morris Rosenberg sur le « phénomène de dissonance cognitive », lequel désigne soit l'inadéquation entre les particularités sociologiques d'un individu et les membres du milieu où il vit (Rosenberg, 1966), soit le divorce entre la représentation qu'un individu a de lui-même et de son destin et celle qu'il se fait des gens qui l'entourent et de leur opinion à son égard (Festinger, 1957). Jean Lévesque et Florentine Lacasse éprouvent l'un et l'autre à leur manière cette inadéquation et ce divorce. Ils sont en état de dissonance cognitive à l'égard de leur milieu. Jean poussera cette dissonance à sa limite, quittant le fard qui recouvre la misère de Saint-Henri pour gagner la ville du succès, alors que Florentine, moins maîtresse de son destin en raison de ce que la société assigne comme rôle aux femmes, doit, lorsqu'elle est abandonnée, travailler à réduire cette dissonance, ce qu'elle parvient à faire en capturant Emmanuel (le sauveur) Létourneau.

Mais l'originalité la plus forte de *Bonheur d'occasion,* ce qui le distingue radicalement de romans comme *Le Survenant* par exemple, réside dans le fait que « l'inconnu » vient de l'intérieur. Cette intussusception du neuf se vérifie dans les quatre univers signifiants que sont le milieu social, le monde de l'amour, la culture livresque et le langage : Jean « apparaît », il n'arrive pas ; le Quinze-Cents est dans Saint-Henri qui est dans la ville qui est dans l'histoire ; le désir avide est tapi dans les signes convenus de l'amour ; la trigonométrie apparaît au milieu du monde des vues et du roman-feuilleton sentimental ; le langage véhiculaire (de la ville) s'est introduit dans la place du langage vernaculaire (de la communauté proche). De la sorte, le récit photographie une société qui a intériorisé l'inconnu sans l'avoir ni accepté ni nécessairement reconnu, mais en le désirant déjà pour le meilleur et pour le pire. Sur un plan macro-idéologique (ou, en un certain sens, sur celui d'une sorte d'anthropologie historique), il y a là comme une constante de la société québécoise : le changement y apparaît toujours peu ou prou comme le résultat d'une contrainte extérieure qui s'est immiscée à l'intérieur, sur le mode de la familière étrangeté ; le changement survient *tranquillement* dirait-on et dira-t-on, sans qu'on affirme nécessairement qu'on le désirait ou qu'on agissait pour l'obtenir. Ce passage à l'acte enté sur un désir à vif mais contraint, contenu, socialement et imaginairement bridé est possiblement justiciable d'une symbolique sclérosée, étouffante et possiblement typique d'un sentiment d'impuissance historique largement publicisé[25]. Il pourrait passer pour l'*ethos* même de l'imaginaire canadien-français des

---

25. Cette impuissance historique sera sublimée, hypostasiée comme une impuissance collective générale par l'idéologie nationaliste subséquente. Pour ma part, j'identifierai ce sentiment d'impuissance comme celui d'une petite bourgeoisie – celle-là même que va rejoindre Florentine – à

années quarante si l'on acceptait un instant l'hypothèse (trop simple) que Florentine Lacasse représente dans toutes ses ambiguïtés l'ensemble de la
collectivité dont elle est issue. Auquel cas, soit dit
en passant, ce passage à l'acte qui ruse avec le
devenir plutôt que d'affirmer le prendre en charge
expliquerait pourquoi le héros de *Bonheur d'occasion* n'est pas un héros masculin entreprenant et se
donnant les moyens d'agir sur le monde comme le
veut la tradition réaliste, mais bien une jeune
femme usant du fard pour dissimuler sa maigreur
et son anémie.

En conjoncture, la relation et l'affrontement
entre Florentine et Jean décrits dans l'incipit réper-
cutent les luttes idéologiques qui traversent le
Québec des années quarante. Plusieurs des traits
accolés au personnage de Jean Lévesque, son envie d'agir sur le monde en accordant des moyens
à la poursuite d'un but, son penchant pour l'analyse, sa lucidité, le rapprochent de l'idéologie que
portera *Cité libre* quelques années après la parution du roman. Cependant, une différence capitale
distingue Jean des citélibristes : alors que les membres de *Cité libre* valorisent l'équipe, le petit
groupe et qu'ils veulent « agir sur le milieu », Jean
est profondément seul (il tient sa solitude pour une
des conditions de sa réussite) et son programme

---

laquelle la « mystique nationale » traditionnelle ne recon-
naissait aucun rôle et aucune place historiques.

d'action est strictement limité à la satisfaction de ses propres ambitions.

Quant aux caractéristiques de la jeune femme, elles ne sont pas sans lien avec la base axiologique et idéologique du duplessisme. En effet, ce dernier s'offre comme une réponse ambivalente à l'évolution rapide d'une société encore dominée par une économie de type traditionnel ou par des formes classiques de capitalisme vers une société régie par les lois du capitalisme monopolistique. À cette évolution le duplessisme offre pour réponse une idéologie hybride, faite de la coalescence de traits traditionalistes et modernistes, ainsi que l'ont montré Gilles Bourque et Jules Duchastel (1988) dans leur analyse des discours du budget de l'Union nationale. Pour ma part, je me suis efforcé de montrer que l'ensemble du discours duplessiste était animé par une vision du monde et par une rhétorique exhibant un même caractère hybride (Popovic, 1992 : 47-250). Ce discours utilise à foison des motifs épiques, des lieux communs, un ton, des métaphores tirés du répertoire traditionnel, mais les double d'une conception moderne de l'utilisation du langage dans ses métalogismes, en sorte que l'oxymoron nodal du duplessisme pourrait s'écrire : moderne, mais traditionnel. Florentine Lacasse est prise dans la même opposition quoique, en quelque sorte, elle en offre la forme inverse. Là où le duplessisme se sert du régime rhétorique et sémiotique traditionnel comme d'un fard pour recouvrir une acceptation des nouvelles règles imposées par ce qu'on appellera « la société de consommation », Florentine, elle, recouvre le lourd héritage traditionnel transmis par sa mère d'un rouge à lèvres pimpant qui est le fard du moderne ou qui est le seul accès qu'elle puisse avoir au moderne, c'est-à-dire un accès qui ne peut appréhender le moderne qu'en tant que fard. En ce sens, il faut nuancer ce qui vient d'être dit : le personnage de Florentine s'avère non seulement une inversion de la contradiction fondamentale du duplessisme, mais il en est aussi la critique, puisqu'il le désigne comme masque, comme grimage. De plus, il n'y a dans le personnage romanesque créé par Gabrielle Roy nulle trace de la grandiloquence épique ou de la mystique traditionaliste dont le duplessisme fait son miel. Il faut aussi ajouter que, à l'instar de Jean, Florentine (au début du roman) est seule, et que son désir avide contredit par avance la constitution triomphaliste de quelque « nous » que ce soit.

Dans une vue plus globale enfin, le caractère intériorisé de l'inconnu et l'intussusception du neuf peuvent être interprétés comme la trace d'un discours social dont les doxographes, les producteurs, les idéologues sont incapables d'imaginer ce qui, de l'intérieur, est en train d'en modifier les données axiologiques et la symbolique, d'en modifier l'hégémonie. *Bonheur d'occasion* saisit une société et la représentation globale qu'elle se donne de son devenir alors que cette société va accoucher de ce qu'elle ne connaît pas d'elle-même. Le motif de la maternité, dont l'« attente exaspérée » de la jeune femme dans l'incipit offre une première version métonymique, traduit on ne peut mieux cet avenir en gestation. Sur le plan littéral comme sur le plan symbolique, Florentine Lacasse est enceinte d'un inconnu paradoxal : ce Lévesque vient de Saint-Henri.

BIBLIOGRAPHIE

ARAGON, Louis (1969), *Je n'ai jamais appris à écrire ou les incipits,* Genève, Skira.

BOURQUE, Gilles, et Jules DUCHASTEL (1988), *Restons traditionnels et progressifs. Pour une nouvelle analyse du discours politique. Le cas du régime Duplessis au Québec,* Montréal, Boréal.

DUCHET, Claude (1971), « Pour une socio-critique ou variations sur un incipit », *Littérature,* n° 1 (février), p. 5-12.

FARCY, Gérard-Denis (1991), *Lexique de la critique,* Paris, Presses universitaires de France.

FESTINGER, Leon (1957), *A Theory of Cognitive Dissonance,* Evanston, Row Peterson.

MARCOTTE, Gilles (1989), « *Bonheur d'occasion* et le "grand réalisme" », *Voix et images,* vol. XIV, n° 3 (printemps), p. 408-413.

POPOVIC, Pierre (1992), *La contradiction du poème. Poésie et discours social au Québec de 1948 à 1953,* Longueuil, Éditions Balzac.

ROSENBERG, Morris (1966), « Contexte religieux dissonant et perturbations émotionnelles », dans Raymond BOUDON et Paul LAZARSFELD, *L'analyse empirique de la causalité,* Paris, Mouton, p. 158-170.

ROY, Gabrielle (1977), *Bonheur d'occasion,* Montréal/ Paris, Stanké.

Lori Saint-Martin

Université du Québec à Montréal

RÉALISME ET FÉMINISME :
UNE LECTURE AU FÉMININ
DE *BONHEUR D'OCCASION*

On le sait, la critique au féminin retient pour l'essentiel la question de la sexuation de toute écriture, celle des hommes autant que celle des femmes, en posant comme principe qu'il n'est pas indifférent d'être homme ou femme lorsqu'on écrit, que « parler n'est jamais neutre », selon l'expression de Luce Irigaray. La démythification du concept de l'universel, du neutre, fait partie intégrante de cette approche : il n'y a pas d'objectivité parfaite, pas de position sans parti pris. C'est précisément pour cette raison que les praticiennes de la critique au féminin ne posent plus la question de la « différence » de l'écriture au féminin. Même si la « spécificité » de cette écriture est désormais admise, elle n'est plus définie par rapport à celle des hommes (ce qui la condamnait à en être éternellement tributaire), mais plutôt appréhendée comme un objet épistémologique à part entière. Pas plus qu'on ne peut relever des traits reliant l'ensemble des textes d'hommes, on ne peut brosser le portrait-robot d'un texte au féminin. Il s'agit plutôt d'examiner les répercussions complexes qui découlent d'une prémisse toute simple : l'espace de la signature, et ce qu'il véhicule de présupposés, doit être retenu comme un élément de la signification globale du texte. Loin de relever de « l'éternel féminin » des poètes ou d'un quelconque déterminisme psychobiologique, la spécificité de l'écriture au féminin, selon cette vision des choses, est liée à l'histoire littéraire, à l'histoire collective et, plus largement, au social. Le texte littéraire devient ainsi le lieu privilégié où poétique, histoire, genre sexuel et genre littéraire convergent, se répondent et se façonnent.

Seront présentés ici trois éléments d'une lecture au féminin de *Bonheur d'occasion* : une réflexion sur les causes du retard avec lequel la critique universitaire a reconnu la présence d'enjeux touchant les femmes dans le roman ; un bref aperçu des éléments féministes et contestataires qu'il renferme ; enfin, une analyse de quelquesunes des techniques qu'utilise Gabrielle Roy pour infléchir le réalisme et inscrire une vision de femme dans son roman. Nous verrons que, malgré la méfiance qu'il inspire à certaines critiques féministes, le roman réaliste « traditionnel » a permis à Gabrielle Roy, comme aucune autre forme littéraire n'aurait pu le faire, d'analyser, voire de dénoncer, la situation des femmes de son époque.

BONHEUR D'OCCASION DEVANT LA CRITIQUE, OU LES FEMMES INVISIBLES

Peu d'interprétations de *Bonheur d'occasion* – et de l'œuvre de Gabrielle Roy tout entière – ont rencontré autant de résistance que celles de la lecture au féminin. Pourtant, plusieurs critiques ont montré que cette lecture éclaire singulièrement le roman (Pascal, 1979 ; Bourbonnais, 1988 ; Smart, 1988 : 197-233 ; Saint-Martin, 1989 : 35-129). Tout se passe comme si, dans ce premier roman, à une vision politique des injustices de classe, qu'a relevée à juste titre l'ensemble de la critique, s'ajoutait une autre vision, moins affirmée, plus discrète, des injustices de sexe[1]. Cette vision de la situation des femmes n'a été mise en lumière par la critique que

---

1. On pourrait se demander pourquoi Gabrielle Roy se sentait « autorisée » à présenter clairement et sans détour les enjeux sociaux qui touchent les hommes (chômage, guerre…), tout en évoquant de façon beaucoup moins directe ceux qui modèlent la vie des femmes. Cette curieuse réticence s'explique peut-être en partie par les milieux dans lesquels elle évoluait à l'époque : dans les revues pour lesquelles elle rédige des reportages, le climat intellectuel est propice à l'intervention sociale « générale » plutôt que féministe ; de plus, Gabrielle Roy se trouve être la seule femme à ne pas être reléguée aux « pages féminines », comme le signale son biographe François Ricard, et, dès lors, occupe une situation à la fois prestigieuse et précaire. À un intérêt sincère pour toutes les questions sociales se mêlent donc des problèmes de légitimité sociale et discursive qui infléchissent son approche.

bien plus tard. Il ne s'agit pas ici de trancher la question de la relative importance des deux niveaux, car Gabrielle Roy elle-même ne les subordonne pas – la pensée royenne affectionne les paradoxes mais non pas les hiérarchies de valeur[2]. Les deux visions coexistent dans le roman, s'enchevêtrent, s'éclairent l'une l'autre. Prenons un exemple très simple : Azarius est un travailleur, puis un chômeur exploité dont le texte décrit avec compassion le découragement et le sentiment d'impuissance ; toutefois, malgré sa douceur et sa bonne volonté, il opprime à son tour sa femme et sa fille, qui doivent travailler à sa place, ce que souligne le texte en toutes lettres[3] (« Florentine la

---

2. Comme l'affirme Estelle Dansereau, les récits royens, construits selon des paradigmes oppositionnels, n'en déprécient jamais un terme par rapport à l'autre ; les oppositions servent plutôt à « rehausser la complexité de l'expérience humaine et la puissance du désir » (1995 : 120).

3. La critique traditionnelle n'a pas été tendre pour Florentine, qu'elle a jugée égoïste, ambitieuse, dure ; mais on a moins souligné son rôle d'unique soutien de famille, lourd à supporter pour une jeune femme de 19 ans, et qui éveille en elle le désir d'évasion qui dictera l'ensemble de sa conduite. Pourtant, le texte déplore qu'elle ait à jouer ce rôle, par la bouche précisément (ô ironie !) du personnage même dont la faiblesse l'y oblige : « C'est pas juste, par exemple, fit-il, qu'une jeune fille donne tout ce qu'elle gagne pour faire vivre sa famille. J'aime pas ça, Latour ; j'aime pas ça… » (Roy, [1945] 1993 : 48. Désormais les renvois à cette œuvre seront signalés par la seule mention BO- suivie du numéro de la page).

lâche pas sa job, elle », BO-91) ; s'il obtient, à la fin du roman, l'évasion tant souhaitée[4], c'est au prix d'une démission de ses responsabilités familiales, démission dont Rose-Anna fera les frais. Comparable à ces dessins qui créent une illusion d'optique permettant de voir une coupe sous un angle, deux profils sous un autre, l'œuvre royenne met en scène les deux types d'oppression et leurs effets réciproques. Longtemps pourtant, on a refusé de voir en *Bonheur d'occasion* le roman féministe qu'il est clairement. Quelles sont les raisons de cette curieuse cécité de la critique ?

L'explication la plus évidente et, en même temps, la plus superficielle touche *la méthodologie*. Il est vrai que l'essor aussi subit que spectaculaire qu'a connu la critique au féminin, dès le milieu des années 1970, a mis à la disposition des chercheurs (ou plutôt des chercheuses) des instruments de travail adaptés, qui permettent de nouvelles lectures. On ne peut nier l'importance de cette évolution des méthodes. Mais l'existence de quelques textes fondateurs sensibles à la question des femmes (voir particulièrement Brochu, [1966] 1974) laisse croire que, davantage que de méthodes appropriées, l'immense majorité des critiques a manqué d'intérêt pour la question.

---

4. Pauvre évasion que celle de risquer sa vie à faire la guerre, certes ; mais dans l'optique d'Azarius, il s'agit d'une victoire.

À ce manque d'intérêt qui entraîne une incapacité de voir (ou de considérer comme importante)
la question des femmes dans le roman, s'ajoute *un
refus conscient ou inconscient de reconnaître que
les femmes forment un groupe social* à l'instar des
ouvriers ou des chômeurs. Même l'étude bien
connue de Ben-Zion Shek (1977), *Social Realism
in the French-Canadian Novel,* consacrée précisément aux problèmes sociaux dits « généraux » (travail, guerre, chômage, distribution de la richesse),
ou celle, plus récente, de Novella Novelli (1989),
qui déplore le tarissement de la veine sociale chez
Gabrielle Roy, passent sous silence son engagement relatif aux femmes, ces « autres » opprimées.
Bref, chez à peu près tous les critiques se pratique
un double déni. D'une part, on oublie que les problèmes sociaux « des hommes » touchent aussi les
femmes, ce que souligne pourtant très clairement le
roman (il y est question, par exemple, de la double
exploitation de Florentine en tant que travailleuse :
non seulement est-elle mal payée et exploitée, mais
encore doit-elle sourire sans cesse et subir les regards grossiers et les invitations de certains clients).
En somme, dans la critique sur l'œuvre de Gabrielle
Roy comme en anthropologie, tous les groupes
sociaux (ouvriers, bourgeois, vieux…) sont fan-
tasmés comme mâles, et les femmes n'y sont pas
prises en compte (Mathieu, 1991 : 133). D'autre
part, et simultanément, on occulte ou on tient pour
quantité négligeable la part importante qu'occupent, dans le roman, les enjeux touchant plus par-

ticulièrement les femmes : la problématique amoureuse, le rapport mère-fille, questions aussi bien
sociales que personnelles, comme Gabrielle Roy le
montre bien[5]. Les femmes tombent ainsi sous le
coup d'une double mise à l'écart : exclues du
général, elles n'ont même plus droit au particulier,
qu'on juge secondaire. Autrement dit, tout se passe
comme si ce qui relève des femmes – même de la
collectivité des femmes – était personnel et non
social, donc de peu d'intérêt, y compris pour les
praticiens d'une critique sociale ou sociologique.

Pourtant, il ressort très clairement de la lecture
de *Bonheur d'occasion* que les femmes forment une
classe, et une classe opprimée. Les trois pôles du
destin féminin traditionnel – la mère, la jeune fille
à marier, la religieuse – y figurent. Si la vie de la fu-
ture religieuse, Yvonne, est jugée en quelque sorte
« sans histoire » et occupe un espace textuel res-
treint, les deux autres destins sont étudiés aussi minutieusement, et avec autant de compassion et de
lucidité réunies, que celui du chômeur ou du jeune
ambitieux. Au fond, l'exploit véritable de Gabrielle
Roy – écrire un grand roman social qui tient compte
autant des femmes que des hommes – fut ignoré.

---

5. Si bien qu'Antoine Sirois (1982), qui signe l'article
sur *Bonheur d'occasion* dans le *Dictionnaire des œuvres littéraires du Québec,* passe minutieusement en revue de nombreux thèmes du roman (la solitude, la mésadaptation à la
vie urbaine, l'injustice sociale, la fraternité humaine) sans
jamais évoquer les questions qui touchent les femmes.

La troisième explication du refus de considérer *Bonheur d'occasion* comme un roman féministe réside dans *la présence, au centre du roman, d'une mère douce, souffrante, altruiste, qui correspond trait pour trait au mythe de la mère québécoise traditionnelle,* conforte les certitudes des lecteurs et les empêche, voire leur évite, d'aller au-delà[6]. L'image de la passivité et de la résignation des personnages féminins royens a eu la vie dure. Plusieurs critiques féministes ont fait écho à cette lecture lénifiante du roman, à ceci près qu'au lieu de féliciter Gabrielle Roy de respecter « les fonctions naturelles de la femme » en la campant « dans le cadre traditionnel qui est fait pour elle : le couple et la famille » (Genuist, 1966 : 53), elles lui en ont tenu rigueur :

> *Après avoir montré une conscience féministe dans ses premières nouvelles des années quarante, il semble que Roy soit devenue ensuite une écrivaine plutôt traditionnelle, humaniste, qui excellait dans la création de femmes fictives et qui mettait en relief le mythe de la mère québécoise* (Gilbert Lewis, 1985 : 166).

De progressiste comment « devient-on » subitement traditionnelle ? Et « mettre en relief » le mythe de la mère (ce que fait aussi, par exemple, Denise Bou-

---

6. « [...] la survalorisation du rôle traditionnel de la mère, chez les critiques littéraires, fait abstraction de ce qui, chez Gabrielle Roy elle-même, mine cette image et la remet en question » (Saint-Martin, 1989 : 50).

cher dans *Les fées ont soif*[7]) signifie-t-il prôner la soumission féminine ? Il y a de longues années déjà, Gérard Bessette avait vu que, à montrer de l'intérieur le mythe de la mère, Gabrielle Roy l'avait fait voler en éclats (Bessette, 1968 : 292). Des lectures plus récentes de diverses œuvres royennes ont fait ressortir les éléments subversifs des portraits de mères et de filles qu'a brossés l'auteure[8].

Se pose là, avec acuité, la question du réalisme : le simple fait de mettre en scène des personnages féminins « traditionnels » (mais jamais stéréotypés) ne suffit pas à faire de Gabrielle Roy une conservatrice, voire une antiféministe. Au contraire, se crée, autour du personnage de la mère, un champ de tensions, d'ambivalences, qui secoue la poussière des idées reçues. Autant que la mère mythique dont les souffrances inutiles[9] sont

---

7. Je ne vois évidemment pas en *Bonheur d'occasion* un livre féministe du même genre que *Les fées ont soif* ; cet exemple sert seulement à montrer que le seul contenu (ici, des figures féminines stéréotypées) ne suffit pas à déterminer la teneur féministe d'un ouvrage.

8. Outre les critiques mentionnées plus haut, plusieurs autres, dont Agnès Whitfield (1990), Carol Harvey (1993), Linda Clemente (1993), Marguerite Courchene (1989-1990), Andrée Stéphan (1991), ont signé des analyses de Gabrielle Roy à la lumière de la critique au féminin.

9. Voilà la principale différence entre le mythe et le portrait de Rose-Anna : les idéologues traditionnels promettaient, à la femme modèle, le dévouement inconditionnel et le bonheur éperdu des siens ; Rose-Anna perd ses enfants et son mari, qui la rejettent les uns après les autres et fuient

longuement dépeintes, *Bonheur d'occasion* met en scène, j'y reviendrai, le contre-modèle de la fille en rupture avec le monde maternel, synonyme d'esclavage et de misère. Le regard critique de la fille qui rejette le destin maternel pulvérise, lui aussi, le mythe de la mère ; ce n'est pas à la perpétuation d'un stéréotype, mais à la fin d'un monde, que Gabrielle Roy nous fait assister.

Quant à la dernière explication du silence des critiques sur la question des femmes dans *Bonheur d'occasion*, c'est *l'absence d'un personnage porte-parole des femmes*. En effet, aucun personnage ne formule, cristallise et rend visible la critique de la condition féminine, comme le font Azarius, Alphonse et surtout Emmanuel pour le sort des démunis. Sauf à l'occasion d'illuminations fugitives (Rose-Anna qui réfléchit à la guerre, Florentine qui se révolte contre le sort des femmes lorsqu'elle se promène dans la ville, enceinte et désespérée), les personnages féminins eux-mêmes n'ont qu'une conscience fragmentée et toute personnelle de leur sort. De surcroît, leurs faibles moyens intellectuels et langagiers, ainsi que leur isolement social, les privent de toute possibilité de réflexion soutenue et d'échange véritable sur leur condition. La ré-

---

le foyer familial, lieu de misère et d'étouffement. Gabrielle Roy montre donc l'envers du mythe, la mère qui souffre sans que sa souffrance apporte quoi que ce soit aux siens (Saint-Martin, 1989 : 53).

flexion – et la contestation – ne transitent donc pas directement par elles. Nous verrons plus loin par quels moyens textuels Gabrielle Roy inscrit cette critique sociale dans la trame romanesque.

UN ROMAN FÉMINISTE

À défaut de pouvoir offrir ici un développement soutenu de chacun des éléments féministes du roman, je me contenterai de les évoquer rapidement. Apparaîtra ainsi une vision d'ensemble des rapports entre *Bonheur d'occasion* et le féminisme[10].

En premier lieu, et de façon évidente, *Bonheur d'occasion* est *un roman centré sur les femmes*[11]. Si la critique a constaté très tôt que Rose-Anna et Florentine sont les protagonistes du roman, elle n'en a pas moins retenu presque uniquement les enjeux touchant les hommes, en déplorant au passage la

---

10. On consultera aussi les lectures au féminin de *Bonheur d'occasion* citées plus haut.

11. « Without denying the sociological, urban, and male aspects of *Bonheur d'occasion*, one can view this text as the first Quebec novel to place women at its center and to portray the *condition de femme* without having them degenerate into glorious archetypes and mythical beings » (Green, Gilbert Lewis et Gould, 1985 : 370). Je traduis : « Sans minimiser les aspects sociologiques, urbains et masculins de *Bonheur d'occasion*, on peut y reconnaître le premier roman québécois à accorder la place centrale aux femmes et à traiter de leur condition sans les transformer en archétypes glorieux ou en êtres mythiques. »

faiblesse des personnages masculins[12]. Ce qui frappe, dans *Bonheur d'occasion*, c'est le fait que le sort d'une mère de famille et celui d'une jeune célibataire qui se trouve enceinte comptent tout autant que celui des personnages masculins. Autrement dit, et à l'instar des théoriciennes féministes modernes, Gabrielle Roy voit bien que les femmes subissent les mêmes difficultés que les hommes – pauvreté, exploitation économique, difficile passage de la campagne à la ville – en plus d'autres qui leur sont propres, liées au corps, à la maternité et aux possibilités sociales encore plus limitées qui leur sont offertes (elles peuvent plus difficilement, par exemple, faire des études ou s'élever grâce à leur travail).

Deuxièmement, *Bonheur d'occasion* est *le roman du pouvoir* : pouvoir des riches sur les pauvres, des patrons et du système capitaliste sur les ouvriers, mais aussi des hommes sur les femmes. Dans le texte, tous ces abus de pouvoir sont analysés, et par là même dénoncés. La liste des injustices faites aux femmes est longue : elles ont moins de possibilités, moins de mobilité que les hommes ; elles doivent porter seules les responsabilités familiales devant la démission des hommes ; elles ne peuvent s'en sortir seules et, par conséquent, doi-

---

12. Selon Whitfield, ce qu'on a vu comme une incapacité de créer des personnages masculins convaincants se révèle, à la lumière de la critique au féminin, une critique implicite du patriarcat et des stéréotypes de sexe (1990 : 53-66).

vent se marier, etc. (Saint-Martin, 1989 : 111-115). À cet égard, les parallèles avec l'œuvre maîtresse du féminisme moderne qu'est *Le deuxième sexe* sont nombreux et hautement significatifs (Saint-Martin, 1993).

Troisièmement, *Bonheur d'occasion* est le roman de la transition entre la campagne et la ville, comme la critique l'a bien vu, mais aussi *le roman de la transition entre l'époque de la mère traditionnelle et celle de la jeune fille ambitieuse* à qui ce modèle sert de repoussoir. Après avoir montré, avec Rose-Anna, que le modèle traditionnel fait le malheur des femmes plutôt que leur bonheur, comme le clamait bien haut l'idéologie traditionnelle, Gabrielle Roy met en scène, ici et dans toute son œuvre, des jeunes filles en rupture violente avec ce modèle. Malgré sa volonté d'évasion, Florentine se trouve piégée par son corps de femme, mais en constatant que « l'objet en litige entre mère et fille est bien le corps reproducteur » (Bourbonnais, 1990 : 113), Gabrielle Roy rompt avec la lecture idéalisante de la maternité et consigne la fin d'une époque : aucune jeune femme de l'œuvre royenne ne souhaite reproduire le modèle maternel[13]. Texte-charnière entre l'époque de la mère et l'époque de la fille, pour ainsi dire, entre deux

---

13. Deux d'entre elles, Florentine et Elsa de *La rivière sans repos,* y sont contraintes par les circonstances, bien malgré elles, l'une à la suite d'une séduction plutôt brutale, l'autre à la suite d'un viol. En revanche, celles qui arrivent

façons de se voir et de se définir en tant que femme, *Bonheur d'occasion* est un précieux témoignage sur une transition sociale aussi importante, et aussi chargée de sens, que l'industrialisation ou la montée du capitalisme moderne : l'apparition d'un désir d'autonomie qui annonce une transformation radicale dans la vie des femmes et, du coup, dans la vie collective tout entière, transformation dont le reste de l'œuvre royenne – ainsi que l'histoire du Québec – portera les marques.

Quatrièmement, la critique a beaucoup retenu, avec raison, la présence, dans le texte, des grands enjeux sociaux de l'époque : la guerre, le travail et le chômage, l'oppression du prolétariat. Ce qu'on a moins vu, c'est que Gabrielle Roy *interroge aussi, au féminin, les problèmes sociaux* : elle pose le problème *des femmes* et de la guerre (grâce notamment à la réflexion de Rose-Anna sur le sort des femmes du monde entier, victimes de la guerre), *des femmes* et du travail (le travail de serveuse de Florentine et le travail domestique, invisible, de Rose-Anna), *des femmes* et de l'oppression de classe. En effet, à l'oppression qu'elles partagent avec les hommes de leur classe sociale, s'en ajoute une autre, bien à elles, que le roman analyse minutieusement.

à s'épanouir autrement (par l'enseignement ou par la création) le font, semble-t-il, au prix d'un renoncement à la maternité et même au corps, comme l'a bien montré Nicole Bourbonnais (1990).

Cinquièmement, *Bonheur d'occasion,* c'est aussi *le premier roman québécois de l'amour mère-fille,* cette grande passion originelle : Florentine est la première protagoniste d'un roman québécois à ne pas être orpheline de mère (Smart, 1988 : 216). On voit clairement apparaître, dans ce roman, la différence qu'établit la théoricienne féministe américaine Adrienne Rich (1976) entre la maternité comme expérience et la maternité comme institution, autrement dit, entre une maternité choisie et définie par les femmes elles-mêmes et celle que leur impose la société. Ce sont précisément les contraintes de la société québécoise de l'époque (obligation de fonder une famille nombreuse entraînant une plongée dans la misère qui confine la mère dans les soucis quotidiens ; éducation religieuse qui prive les mères d'autres mots que ceux inspirés de « sèches brochures de piété », BO-362) qui font que la relation mère-fille, bien que porteuse d'une immense tendresse, tourne court. Là encore, dépeindre les embûches importe davantage que d'imaginer une relation tranquille et sans nuages : le réalisme permet un diagnostic, pas une plongée dans l'utopie. Il n'en reste pas moins que *Bonheur d'occasion* raconte, avant tout autre roman québécois, la « grande histoire non écrite » (Rich) du rapport mère-fille.

Sixièmement, *jamais,* dans *Bonheur d'occasion, l'essence et les rôles sociaux, le sexe et le genre, ne se trouvent confondus* ; il n'est pas question d'une nature féminine, d'un éternel féminin. La maternité et la sexualité sont représentées dans leur contexte social, et Gabrielle Roy montre que le caractère est le résultat des possibilités sociales ménagées aux personnages. Si Azarius est devenu irrémédiablement velléitaire, rêveur et paresseux, c'est à cause de l'impossibilité où il se trouve d'exercer son métier de menuisier, donc en raison de forces sociales qui lui échappent. De la même façon, Gabrielle Roy montre que pour une femme, « [ê]tre c'est être devenu, c'est avoir été fait tel qu'on se manifeste » (Beauvoir, 1949 : 27). En d'autres mots, Florentine, qui paraît se conformer au stéréotype de la jeune femme frivole, obsédée par sa beauté, est, en réalité, ambitieuse, ferme et décidée ; seulement, puisqu'elle ne peut réussir qu'à condition de s'attacher un homme, elle est obligée de transiter par la ruse et la manipulation. Si elle attache une telle importance à sa mise et à son maquillage, c'est parce qu'elle est limitée à ce que Simone de Beauvoir appelle « le mariage comme carrière » (p. 181). Si elle se montre médiocre, mesquine, légère, c'est aussi faute de disposer des mêmes possibilités que Jean (voyager, s'instruire, s'élever grâce à son travail). De ce point de vue, la première scène du roman établit entre Jean et Florentine un rapport de forces qui tient, davantage que d'une différence de classe sociale – cette différence émerge précisément à cause des privilèges dont jouit Jean en tant qu'homme –, d'une inégalité liée au sexe.

LA FORME RÉALISTE ET LE FÉMINISME

Des critiques féministes aussi éminentes que Suzanne Lamy ont reproché aux romancières du passé, dont Gabrielle Roy, d'avoir eu recours au « roman traditionnel », qui « mime la vie, donne l'illusion de rapports parfaitement élucidés entre le texte et la société qui lui sert de référent » (Lamy, 1984 : 31). Or une telle lecture sous-estime la complexité du genre romanesque, à la fois complice de l'ordre établi – « the place where ideology lies coiled », selon le mot de Rachel Blau DuPlessis (1985 : 5) – et apte à le remettre en cause. Le recours au réalisme, pour une femme, sera néanmoins problématique : si elle accède ainsi à une forme prestigieuse qui autorise en quelque sorte sa propre prise de parole, en revanche elle risque de s'y trouver marginalisée, voire violentée, car le réalisme traditionnel, ainsi que l'a montré avec brio Naomi Schor (1985), repose sur la fétichisation et sur la domination de la femme et du féminin. Comment une femme peut-elle entrer dans cette tradition sans se blesser ? Il lui faudra inventer, mine de rien, son propre réalisme, un réalisme au féminin. Car il ne suffit pas de mettre une femme au centre de l'intrigue (*Madame Bovary* et *Anna Karénine* ne sont pas des romans féministes) ; il faut une manière de représenter les femmes et le féminin qui brise les carcans sociaux et littéraires, une manière, comme le dit Lamy, d'imprimer « des torsions au déjà-là », de rechercher « une nouvelle identité pour la femme » (1984 : 20).

Se pose donc la question de déterminer à la fois le potentiel contestataire du réalisme et ses limites comme forme textuelle, les deux étant d'ailleurs inséparables. On a bien montré, ces dernières années, de quelle façon le réalisme de Gabrielle Roy, plus particulièrement l'apparente objectivité de l'instance narrative, est au service d'une vision critique de la société (Frédéric, 1995) et de l'absence de rapports entre les êtres (Mead, 1988), voire d'une « interrogation morale et psychologique à propos de la manière dont la fiction doit (ou ne doit pas) s'approprier le réel[14] » (Coleman, 1993 : 50). Or les techniques réalistes se plient aussi aux besoins d'une démonstration féministe qui fait ressortir, de manière dramatique, les différences entre les hommes et les femmes – différences dans le pouvoir, l'autonomie, la liberté, les possibilités concrètes –, en en montrant clairement le caractère fabriqué, social, plutôt que naturel[15]. Il sera question ici d'un certain nombre de techniques narratives qu'utilise Gabrielle Roy pour infléchir le réalisme et inscrire dans son texte un regard critique sur le sort réservé aux femmes dans la société québécoise de l'époque.

---

14. Je traduis.

15. Pour des réflexions féministes sur le réalisme de Gabrielle Roy, voir Bourbonnais (1990), Smart (1988), Saint-Martin (1989) et Elder (1995).

Notons d'entrée de jeu que le réalisme permet de *montrer les choses comme elles sont*[16] *en laissant entendre que ce n'est pas ainsi qu'elles devraient être*. Ce n'est pas parce qu'on met en scène une mère de famille qu'on veut imposer ce rôle à toutes les femmes, à plus forte raison lorsqu'on insiste sur la souffrance de cette mère. Pour dénoncer la société actuelle, il faut la montrer ; montrer n'est pas cautionner. Comme le dit Nicole Bourbonnais, « [à] l'échafaudage tout imaginaire d'une fiction de l'avenir, l'auteure préfère la mise en déroute d'un présent inacceptable » (1990 : 96).

La première technique qu'utilise Gabrielle Roy pour transformer le réalisme est concrétisée dans *les absences, les blancs, les impossibilités et les impasses du texte*. Ce qui ne figure pas dans le texte, ce qui n'est pas ou ne peut être représenté, est lourd aussi de sens. Prenons un exemple : le roman nous montre, à de nombreuses reprises, des hommes réunis pour débattre des grandes questions du jour. Madeleine Frédéric (1992) a étudié ces lieux de « socialité » et de « solidarité » que sont les cafés dans *Bonheur d'occasion,* étude d'ailleurs tout à fait juste et pertinente *pour ce qui est des personnages masculins de l'œuvre*. Or qu'en est-il des personnages féminins ? On pourrait arguer que

---

16. Le réalisme comporte, on le sait, autant d'artifices que les autres genres ; mais son but est toujours de se donner pour un portrait fidèle du réel.

c'est précisément faute de disposer de tels lieux – et du temps libre qu'il faut pour les fréquenter – que les femmes, repliées sur elles-mêmes, exclues des débats publics qui agitent leur temps, se méfient de leurs semblables, avec lesquelles elles n'entament jamais le dialogue. À aucun moment ne débat-on dans le roman de l'injustice faite aux femmes, comme on dénonce celle que subissent les travailleurs et les chômeurs. Là encore, le réalisme n'aurait pas permis que des femmes (du moins pas des femmes de Saint-Henri) se réunissent pour parler de leur oppression. Mais l'auteure note finement que c'est l'irresponsabilité des hommes (Azarius, chauffeur de taxi, flâne au lieu de chercher des clients) qui leur donne le loisir de discuter ainsi, alors que les femmes, accaparées par les enfants ou par un travail épuisant, n'ont ni la disponibilité mentale ni le temps pour le faire. Par ailleurs, deux scènes clés indiquent que, malgré toutes les embûches, les femmes aussi sont capables d'entamer une réflexion politique : celle, déjà mentionnée, où Rose-Anna éprouve un sentiment de solidarité envers les femmes d'ailleurs, brisées comme elle par la guerre (chapitre XIX) ; et celle où Florentine voit tout d'un coup l'injustice de la vie des femmes, condamnées à porter seule le fardeau de l'espèce (chapitre XXI). Conformément à la réalité de l'époque, ces révélations fugitives tournent court, faute de lieux d'échange avec les autres femmes ; elles n'en ouvrent pas moins une brèche dans le texte. On ne peut passer à côté de la portée collective de telles visions que si on tient pour acquis que les problèmes des femmes ne sont pas des problèmes politiques au même titre que ceux des hommes. Dans *Bonheur d'occasion,* la ville – et la vie – des femmes, si elles existent aux côtés de celles des hommes, n'ont presque aucune commune mesure avec elles. C'est dans cet écart, et dans la façon lucide dont Gabrielle Roy en prend acte, que réside le réalisme au féminin.

Le parallélisme entre personnages masculins et féminins est une deuxième technique qu'emploie Gabrielle Roy pour faire ressortir sa vision féministe. Du point de vue du caractère, Jean et Florentine sont pareils : durs, ambitieux, égoïstes, décidés à s'en sortir coûte que coûte. Ce sont des jumeaux quasi identiques, qu'une seule chose différencie : leur sexe. Dès lors, rien dans leur vie n'est pareil. Jean peut étudier le soir, devenir contremaître, quitter le quartier, abandonner l'enfant qu'il a fait à Florentine. Prisonnière d'un emploi féminin stéréotypé, mal payé et sans avenir, Florentine ne voit qu'une seule échappatoire possible : le mariage. C'est pour retenir Jean, sans qui elle ne peut vivre, qu'elle accepte de se transformer en femme-objet. Bref, elle se reconnaît Autre, comme le dit de Beauvoir :

> *Ainsi, la femme ne se revendique pas comme sujet parce qu'elle n'en a pas les moyens concrets, parce qu'elle éprouve le lien nécessaire qui la rattache à l'homme sans en poser la réciprocité,*

> *et parce que souvent elle se complaît dans son rôle d'*Autre[17] (1949 : 23).

Devenir femme-objet constitue un choix, qui n'a rien de libre toutefois. C'est un geste aliénant, qui fait de la femme un être passif, dépendant. C'est effectivement parce qu'elle est une femme que Florentine manipule Jean, puis Emmanuel : pas parce que, en tant que femme, elle est naturellement fourbe, mais parce qu'elle n'a pas la liberté de choix qui fait que les hommes n'ont nul besoin de telles armes. La différence sexuelle entraîne aussi, bien entendu, le piège de la maternité, à cause duquel la vie de Florentine est marquée à tout jamais, alors que Jean l'abandonne, léger et insouciant.

Troisième technique, proche des oppositions et des parallélismes entre les personnages, *la juxtaposition de scènes* sert aussi des fins idéologiques. Pensons à la scène où Eugène arrive aux Deux Records, peu de temps après avoir soutiré à sa mère la maigre somme qu'elle a touchée grâce à son engagement dans l'armée, juste au moment où Sam Latour s'écrie, en parlant des traîtres en temps de guerre, que « pour de l'argent, y en a qui vendraient leur mère » (BO-252). De manière plus complexe, et dans l'optique d'une critique féministe de la société, on peut retenir l'exemple des

---

17. Pour une analyse plus poussée de ce thème, voir Saint-Martin (1993).

promenades de Jean, puis de Florentine, dans le quartier (chapitres XVII et XXI). Jean arpente les rues à la recherche du sentiment de liberté qu'il vient de perdre en faisant l'amour avec Florentine. Il voit se dresser autour de lui « des murs impérieux, des tours de ciment, orgueilleuse œuvre de l'homme, une dernière confirmation de sa destinée », puis entend un fracas d'eaux s'écoulant dans un torrent printanier, « cette voix puissante qui était bien la véritable et la première expression de liberté dans le quartier » (BO-221). La ville est masculine (au sens davantage social que simplement phallique[18]) ; c'est un lieu de pouvoir, de triomphe sur la nature, de domination. À la fin de cette promenade, Jean rejette définitivement l'attachement et se sent comme les eaux, « absolument libéré » (BO-221). Il y a donc une sorte de correspondance, d'unité entre Jean et le milieu urbain dans lequel il lit la reconnaissance et la confirmation de son orgueil et de son désir d'évasion[19].

---

18. Gérard Bessette voit dans le cargo qui apparaîtra dans une scène plus tardive à la fois « Jean et sa semence qui ont violé l'intimité de Florentine en même temps que les interdits de la morale », le corps de Florentine, souillé et déformé par la grossesse, et le fœtus nageant dans les eaux utérines (1968 : 272-273).

19. Pour une autre lecture des rapports entre les personnages du roman et l'espace urbain dans une perspective féministe, voir « Le droit à la ville : Florentine et la ville au féminin » (Roberts, 1998).

La promenade de Florentine survient quelques semaines plus tard, au moment où la jeune fille prend conscience de sa grossesse et de la fuite de Jean. La ville devient alors un lieu tout différent :

> *Continuant à descendre vers le canal, elle fut bientôt environnée d'un grand bruit de chaînes et des éclats répétés d'une sirène. [...] Florentine vit s'avancer la cheminée d'un cargo. [...] C'était un aventurier marchand, gris de quille [...]. Il avait accompli déjà un grand voyage entre des horizons si éloignés qu'ils reculaient dans la brume [...], il n'aspirait plus qu'à atteindre, de contrariété en contrariété, de barrière en barrière, le flot libre du Saint-Laurent et, plus tard, le roulis des Grands Lacs. [...] Alors Florentine s'aperçut qu'elle était seule au monde avec sa peur* (BO-260-261).

Là où Jean se sent intégré à l'espace urbain vu comme espace d'affirmation de soi, Florentine se voit exclue, bannie, enfoncée dans la solitude synonyme non de force tranquille mais d'abandon. Jean s'identifie aux navires, aux trains, à tout ce qui est emporté plus loin ; à les observer, Florentine constate sa propre immobilité. Elle se rappelle alors avec une nostalgie déchirante son passé lointain, tandis que Jean se voit projeté tout entier dans l'avenir. Bref, Jean comme Florentine voient dans leurs promenades urbaines la confirmation de la liberté des hommes ; le premier s'en réjouit, la deuxième se révolte :

> *Oh ! Jean ne pourrait jamais rien connaître de sa peur à elle qui s'en allait seule par cette soirée de*

> *printemps faite pour le rire, pour les mains dou-*
> *cement unies, et c'était cela le moins acceptable,*
> *le plus injuste. Elle aperçut cette vie d'homme qui*
> *s'épanouissait, libre, sans regrets ; et cette vision*
> *lui fut plus intolérable, oui, mille fois plus into-*
> *lérable que le sentiment de sa faute* (BO-262).

Dans cette révolte de Florentine, fuse une critique qui dépasse de loin ce cas unique. Si, en raison de son état d'infériorisée, Florentine retourne sa colère contre elle-même (« [...] elle éprouvait [...] un indicible mépris pour sa condition de femme, une inimitié envers elle-même qui la déroutait », BO-263), les lecteurs du roman pourront déceler dans ce passage et dans bien d'autres une réflexion plus générale sur les relations de pouvoir. En somme, il s'agit non pas seulement de montrer une ville différente par le regard de chaque personnage, ce qui serait somme toute assez banal, mais bien de révéler, au-delà de l'espace urbain, deux perceptions de la ville et de la vie : celle de l'homme qui jouit de sa liberté et celle de la femme qui tourne en rond, « environnée d'un grand bruit de chaînes ». Le contraste est si marqué qu'il est impossible de ne pas y voir une dénonciation implicite de la domination masculine.

La quatrième technique du réalisme au féminin de Gabrielle Roy joue sur *des choix lexicaux non innocents, qui dédoublent des thèmes*. Si l'on étudie par exemple les incidences du mot « libre » à l'aide de la concordance préparée par Paul Socken (1982), on voit qu'il qualifie le plus souvent Jean se félicitant de l'être, ou Azarius rêvant de l'être et le devenant enfin. Quant aux femmes du roman, la liberté leur est totalement interdite. Rose-Anna ne peut même pas en rêver, ainsi que le souligne la relation du voyage à Saint-Denis : « Lui, se frottait les paumes de plaisir et d'insouciance, car, du voyage, *il ne voyait que la fuite*, tandis qu'*elle prenait encore son fardeau* quelle que fût la route où elle s'engageait[20] » (BO-180). Quant à Florentine, le mot « libre » ne s'applique à elle que dans un sens affaibli (« [...] êtes-vous libre, mademoiselle Florentine, disons, demain soir ? », BO-113). Il qualifie encore, de façon ironique, ses longs cheveux, notamment lorsqu'elle se précipite vers l'usine où travaille Jean ou lorsqu'elle danse chez les Létourneau : « Les cheveux de Florentine, libres et flottants, ondulaient d'une épaule à l'autre et voilaient son regard lorsqu'elle tournoyait » (BO-137). Ainsi, ses cheveux « libres » l'aveuglent, l'empêchent de voir ce qui pourtant s'impose avec clarté : son enchaînement, son absence totale de liberté, que soulignent tous les adjectifs qui la qualifient, dans ce passage comme ailleurs :

> Le petit collier de corail sautant à son cou, comme une chaîne légère autour de son cou fluet, et ses bras comme une chaîne autour d'Emmanuel, et sa robe de soie bruissant autour d'elle, et ses talons hauts claquant sur le plancher nu, elle

---

20. Je souligne.

> *était Florentine, elle dansait sa vie, elle la bravait*
> *sa vie, elle la dépensait sa vie, elle la brûlait sa*
> *vie, et d'autres vies aussi brûleraient avec la*
> *sienne* (BO-135).

Seule l'illusion du mouvement existe ici. L'apparent dynamisme du passage se trouve miné par le fait qu'il s'agit d'un mouvement sur place, répétitif et circulaire. Croyant avancer, Florentine tourne en rond. Les nombreuses répétitions de la deuxième moitié du passage, les cercles concentriques de la première (le collier autour du cou, les bras de Florentine autour d'Emmanuel, la robe autour du corps de la jeune fille, les pas de la danse), de même que l'image répétée de la chaîne (montrant que Florentine ne peut pas se libérer grâce à Emmanuel, mais seulement l'enchaîner dans une commune servitude), tout cela annonce le trajet circulaire de Florentine, qui répétera malgré elle le destin de sa mère. Cercles, chaînes, emprisonnement : on voit combien les choix lexicaux et les images formulent une vision des relations entre les sexes qui dépasse, là encore, le cas particulier. L'aveuglement de Florentine, son aliénation de femme qui mise à tort sur la beauté et la séduction, la vision du couple comme une servitude, voire une duperie (la chaîne, les méprises d'Emmanuel au sujet de Florentine) : toute une vision féministe ressort on ne peut plus clairement de cette description. Cette vision est fort pessimiste du reste : en raison de la domination masculine et de la dissimulation qu'elle entraîne, l'amour est condamné ;

l'attachement ne peut être qu'un piège qui entraîne la femme fatalement vers la maternité pourtant refusée, symbole d'esclavage et d'aliénation.

La cinquième technique consiste en *des jeux de focalisation complexes* qui donnent aux personnages féminins peu articulés une parole politique cohérente, bien que plus discrète que celle des personnages masculins. On en voit des exemples à l'occasion de la promenade de Florentine en ville, déjà analysée :

> *C'est donc pour ça que le monde tournait, que l'homme, la femme, deux ennemis, accordaient une trêve à leur inimitié, que le monde tournait, que la nuit se faisait si douce, qu'il y avait, tracé devant soi, soudain, comme un chemin réservé au seul couple. Ah ! c'était donc pour ça que le cœur refusait la paix ! Misère ! Elle oubliait les instants d'égarement, les instants de bonheur suspendu, elle ne voyait plus que le piège qui avait été tendu à sa faiblesse, et ce piège lui paraissait grossier et brutal, elle éprouvait, plus fort encore que sa peur, un indicible mépris pour sa condition de femme, une inimitié envers elle-même qui la déroutait* (BO-263).

Entre la réflexion du personnage et la parole du narrateur, de multiples passages fluides permettent de dépasser la conscience du personnage tout en s'y enracinant. D'une situation particulière, on tire une portée plus générale. Le recours au discours indirect libre, ainsi que le vocabulaire d'ordre général (« l'homme, la femme, deux ennemis », « sa condition de femme »), assurent le lien entre le cas de Florentine et l'ensemble de la société. La critique sociale ne transite pas ici par les dialogues et les débats comme pour les personnages masculins ; l'isolement des femmes ne le permettrait pas. Le recours au discours indirect libre permet de commenter la condition féminine en dépassant la conscience fragmentée et toute personnelle qu'en a le personnage. La critique s'enracine dans une condition concrète, évitant du même coup la dénonciation abstraite, voire le pamphlet. Elle « passe » mieux, en quelque sorte, au risque, précisément, de passer inaperçue à force de s'être faite discrète, feutrée.

La sixième technique, liée de près à la précédente, concerne *les dialogues et les contrastes entre les dialogues et la focalisation*. La place importante qu'accorde le roman aux paroles des hommes – qui accaparent 62 % des répliques du roman – confirme leur domination sociale et leur monopole du discours public et politique. En revanche, dominées dans les échanges linguistiques, les femmes sont privilégiées par Gabrielle Roy d'une autre manière : l'utilisation des discours indirect et indirect libre permet, comme nous l'avons vu, de dévoiler la pensée des personnages. Or, de ces discours, 61 % donnent le point de vue des personnages féminins (dont 23,5 % pour Rose-Anna et 36,2 % pour Florentine), contre 39 % pour les personnages masculins. Le renversement est trop spectaculaire – et la symétrie des pourcentages, trop parfaite – pour être dénué de sens. La domination des échanges linguistiques par les hommes, fait social que consigne fidèlement le roman, se trouve ébranlée, minée, par l'importance accordée aux discours autres ; la vision des femmes ressort, autrement. La première scène du roman est, à cet égard, très significative. Si le dialogue accorde le pouvoir à Jean, le discours intérieur privilégie le point de vue de Florentine et l'établit comme l'un des personnages principaux du roman. Du coup, le dialogue relève du réalisme et consigne la domination réelle des échanges linguistiques par les hommes, tandis que la très forte présence des autres discours traduit une volonté de prêter voix aux femmes, même et surtout lorsque la société les réduit au silence (Saint-Martin, 1997).

Septième et dernière technique, *la mise en scène des regards* dans le roman est au service d'une réflexion sur les rapports entre le regard, le réalisme et le pouvoir masculin. Plusieurs observateurs ont constaté qu'au regard froid de Jean sur Florentine correspond, dans un premier temps, celui de l'instance narrative (Smart, 1988 : Bourbonnais, 1990), si bien que le narrateur est fortement empreint de masculinité[21] (Elder, 1995). La structure des regards entre Jean et Florentine dévoile la violence des relations homme-femme traditionnelles : fragmentation aliénante du corps

---

21. Patricia Smart parle plutôt d'une narratrice qui se comporte en « bonne mère de famille ».

féminin, regard terrorisant de l'homme qui transforme la femme en victime (Elder, 1995). À cela s'ajoute tout de même un fait significatif : nous voyons Jean à travers les yeux de Florentine dans le premier chapitre, en même temps qu'il pose sur elle son regard dévastateur. Autrement dit, se côtoient une mise en scène du regard masculin, qui transforme la femme en objet, et une résistance à ce regard, puisque l'objet regarde et réfléchit à son tour. C'est la femme-objet qu'est Florentine, et non l'homme-sujet qu'est Jean, qui est la protagoniste du roman. Par ailleurs, Gabrielle Roy arrive à défaire progressivement le lien entre réalisme et agression (Coleman, 1993), en dotant Florentine, peu à peu, de son propre regard. Au début, Jean est, au vrai, maître de la situation ; il se joue de Florentine, puis lui échappe. Par la suite, notre connaissance du personnage de Florentine s'approfondira davantage, grâce à ses réflexions ; le personnage lui-même s'approfondit, car il traverse la souffrance et en émerge enfin. Dans les dernières pages, dont l'action se déroule à la gare des trains, nous verrons Jean à travers les yeux de Florentine uniquement. La scène, qui reprend celle de l'incipit, donne la priorité à Florentine : en effet, au début, Jean arrive à l'improviste et surprend Florentine alors qu'elle le cherche ailleurs ; à la fin, c'est Florentine qui observe Jean à la dérobée. Mais la scène de la gare récrit et transforme également la première scène du roman dans la mesure où le regard de Jean visait la domination, la négation de l'Autre qu'il réduisait en objet. Florentine, à la fin du roman, défend sa vie. Elle reconnaît la beauté de Jean et le désir qu'il lui inspire, sans le déprécier ; elle reconnaît aussi le désir qu'elle éprouve de sentir sur elle son regard à lui, avant d'y renoncer pour toujours. Car, et cela elle le mesure très bien, elle ne peut voir Jean – elle ne peut exister comme sujet – qu'à condition de ne pas être vue par lui, dont le regard la réduit fatalement en objet. En somme, le jeu des regards dans le roman est lié de près à des questions féministes de pouvoir et d'autonomie.

On constate que le discours optique du roman n'a pas pour unique effet la réduction de la femme en objet. Le regard de Florentine, à la fin, n'est ni violent ni agressif ; il lui permet de s'approprier elle-même sans abaisser autrui (alors que Jean se sent valorisé dans l'exacte mesure où il déprécie et méprise les autres). Voilà donc un exemple de la manière dont les jeux de focalisation transforment en profondeur le réalisme fondé, comme on l'a souvent remarqué, sur la femme-objet.

* * *

Au moyen de la forme réaliste, Gabrielle Roy met en scène et dénonce à la fois la transformation de la femme en objet et la forme réaliste qui permet cette transformation. Ce faisant, elle ouvre le roman à des voix, à des regards autres qui font éclater l'hégémonie masculine. Tout – les situations, les personnages, les dispositifs narratifs, les choix lexicaux – concourt à créer un réalisme au féminin qui fait ressortir une injustice profonde au point d'en être devenue invisible.

BIBLIOGRAPHIE

BEAUVOIR, Simone de (1949), *Le deuxième sexe,* Paris, Gallimard, t. I. (Coll. « Idées ».)

BESSETTE, Gérard (1968), *Une littérature en ébullition,* Montréal, Le Jour.

BLAU DuPLESSIS, Rachel (1985), *Writing Beyond the Ending : Narrative Strategies of Twentieth-Century Women Writers,* Bloomington, Indiana University Press.

BOURBONNAIS, Nicole (1988), « Gabrielle Roy : la représentation du corps féminin », *Voix et images,* n° 40 (automne), p. 72-89. [Repris dans Lori SAINT-MARTIN (1992), *L'Autre lecture. La critique au féminin et les textes québécois,* Montréal, XYZ, t. I, p. 97-116.]

BOURBONNAIS, Nicole (1990), « Gabrielle Roy : de la redondance à l'ellipse ou du corps à la voix », *Voix et images,* vol. XVI, n° 1 (46), p. 95-109.

BROCHU, André ([1966] 1974), « Thèmes et structures dans *Bonheur d'occasion* », dans André BROCHU, *L'instance critique, 1961-1973,* Montréal, Leméac, p. 206-246.

CLEMENTE, Linda M. (1993), « Gabrielle Roy on Gabrielle Roy : *Ces enfants de ma vie* », *Essays on Canadian Writing,* n° 50, p. 83-107.

COLEMAN, Patrick (1993), *The Limits of Sympathy : Gabrielle Roy's The Tin Flute,* Toronto, ECW Press.

COURCHENE, Marguerite (1989-1990), « L'univers féminin/féministe de *Ces enfants de ma vie* de Gabrielle Roy », *Revue Frontenac,* n°s 6-7, p. 61-84.

DANSEREAU, Estelle (1995), « Formations discursives pour l'hétérogène dans *La rivière sans repos* et *Un jardin au bout du monde* », dans Claude ROMNEY et Estelle DANSEREAU (dir.), *Portes de communications. Études* discursives et stylistiques de l'œuvre de Gabrielle Roy, Québec, Presses de l'Université Laval, p. 119-136.

ELDER, Jo-Anne (1995), « Écrire le regard. Analyse du discours optique dans Bonheur d'occasion », dans Claude ROMNEY et Estelle DANSEREAU (dir.), Portes de communications. Études discursives et stylistiques de l'œuvre de Gabrielle Roy, Québec, Presses de l'Université Laval, p. 137-155.

FRÉDÉRIC, Madeleine (1992), « Bonheur d'occasion ou la stratégie des chronotopes », dans Madeleine FRÉDÉRIC (dir.), Montréal, mégapole littéraire, actes du séminaire de Bruxelles (septembre-décembre 1991), Bruxelles, Centre d'études canadiennes, Université libre de Bruxelles, p. 75-82.

FRÉDÉRIC, Madeleine (1995), « Bonheur d'occasion et Alexandre Chenevert. Une narration sous haute surveillance », dans Claude ROMNEY et Estelle DANSEREAU (dir.), Portes de communications. Études discursives et stylistiques de l'œuvre de Gabrielle Roy, Québec, Presses de l'Université Laval, p. 69-82.

GENUIST, Monique (1966), La création romanesque chez Gabrielle Roy, Montréal, Cercle du Livre de France.

GILBERT LEWIS, Paula (1985), « Trois générations de femmes : le reflet mère-fille dans quelques nouvelles de Gabrielle Roy », Voix et images, vol. 10, n° 3 (printemps), p. 165-176.

GREEN, Mary Jean, Paula GILBERT LEWIS et Karen GOULD (1985), « Inscriptions of the feminine : A century of women's writing in Québec », American Review of Canadian Studies, vol. XV, n° 4, p. 363-388.

HARVEY, Carol J. (1993), Le cycle manitobain de Gabrielle Roy, Saint-Boniface, Des Plaines.

Lamy, Suzanne (1984), *Quand je lis je m'invente,* Montréal, l'Hexagone.

Mathieu, Nicole-Claude (1991), *L'anatomie politique. Catégorisations et idéologies du sexe,* Paris, Côté-femmes.

Mead, Gerald (1988), « The representation of solitude in *Bonheur d'occasion* », *Québec Studies,* n° 7, p. 116-136.

Novelli, Novella (1989), *Gabrielle Roy, de l'engagement au désengagement,* Rome, Bulzoni. (Coll. « I quattro continenti », n° 3.)

Pascal, Gabrielle (1979), « La condition féminine dans l'œuvre de Gabrielle Roy », *Voix et images,* vol. V, n° 1 (automne), p. 143-164.

Ricard, François (1997), *Gabrielle Roy, une vie,* Montréal, Boréal.

Rich, Adrienne (1976), *Of Woman Born : Motherhood as Experience and Institution,* New York, Norton.

Roberts, Katherine A. (1998), « Le droit à la ville : Florentine et la ville au féminin », dans Lori Saint-Martin (dir.), *Féminisme et forme littéraire. Lectures au féminin de l'œuvre de Gabrielle Roy,* Montréal, Cahiers de recherche de l'IREF (Institut de recherches et d'études féministes), p. 29-47.

Roy, Gabrielle ([1945] 1993), *Bonheur d'occasion,* Montréal, Boréal.

Saint-Martin, Lori (1989), *Malaise et révolte des femmes dans la littérature québécoise depuis 1945,* Québec, Cahiers du GREMF.

Saint-Martin, Lori (1992), *L'Autre lecture. La critique au féminin et les textes québécois,* Montréal, XYZ, t. I, p. 97-116.

SAINT-MARTIN, Lori (1993), « Simone de Beauvoir and Gabrielle Roy : Contemporaries reflecting on the status of women », *Simone de Beauvoir Studies,* nᵒ 10, p. 127-139.

SAINT-MARTIN, Lori (1997), « Sexe, pouvoir et dialogue dans *Le Survenant* et *Bonheur d'occasion* », *Études françaises,* vol. 33, nᵒ 3, p. 37-52.

SCHOR, Naomi (1985), *Breaking the Chain : Women, Theory, and French Realist Fiction,* New York, Columbia University Press.

SHEK, Ben-Zion (1977), *Social Realism in the French-Canadian Novel,* Toronto, Harvest House.

SIROIS, Antoine (1982), « *Bonheur d'occasion* », dans Maurice LEMIRE (dir.), *Dictionnaire des œuvres littéraires du Québec,* t. III : *1940-1959,* Montréal, Fides, p. 127-136.

SMART, Patricia (1988), *Écrire dans la maison du père. L'émergence du féminin dans la tradition littéraire du Québec,* Montréal, Québec/Amérique.

SOCKEN, Paul (1982), *Concordance de* Bonheur d'occasion *de Gabrielle Roy,* Waterloo, University of Waterloo Press.

STÉPHAN, Andrée (1991), « Attraits et promesses du corps féminin chez Gabrielle Roy. Les prémisses de *Bonheur d'occasion* et leur écho dans le reste de l'œuvre », dans Marie-Lyne PICCIONE (dir.), *Un pays, une voix, Gabrielle Roy,* actes du colloque du Centre d'études canadiennes de l'Université de Bordeaux, tenu les 13 et 14 mai 1987, Bordeaux-Talence, La Maison des sciences de l'homme d'Aquitaine, p. 57-65.

WHITFIELD, Agnès (1990), « Relire Gabrielle Roy, écrivaine », *Queen's Quarterly,* vol. 97, nᵒ 1 (printemps), p. 53-66.

Hilligje van't Land

Université d'Avignon et des Pays du Vaucluse

ANALYSE SOCIOSÉMIOTIQUE DES ESPACES ROMANESQUES DANS *BONHEUR D'OCCASION*

Gabrielle Roy vivait seule à Montréal depuis deux ans lorsqu'elle fit la découverte de Saint-Henri. C'était en 1941. Elle habitait alors rue Dorchester, non loin de Greene, au sommet de la colline qui surplombait la voie ferrée du Canadian Pacific Railway et, plus bas, le quartier où allait se dérouler *Bonheur d'occasion*.

> *D'habitude,* racontera-t-elle [...], *je choisissais comme but de mes promenades les jolies avenues de Westmount et le flanc de la montagne. Un jour, par pur hasard, par caprice si vous voulez, je descendis vers le sud de la rue Saint-Ambroise et je me trouvai sans trop le savoir, au cœur même de Saint-Henri. Que vous dire ? Comment vous exprimer l'impression que je ressentis soudainement ? Ce fut comme le coup de foudre des amoureux ; ce fut une révélation, une illumination !* (Ricard, 1975 : 52).

Cette illumination, cette révélation auront donné naissance à *Bonheur d'occasion,* paru en 1945.

APPROCHE MÉTHODOLOGIQUE
QUELQUES PRINCIPES

LA SÉMIOTIQUE ET LA SOCIOCRITIQUE

Il va sans dire que la richesse de cette œuvre littéraire qu'est *Bonheur d'occasion* offre à la critique d'innombrables possibilités de recherche. Le type d'analyse que je propose ici s'inspire de la sémiotique et de la sociocritique et se concentre sur l'ensemble des espaces romanesques qui tout à la fois sont mis en représentation dans le texte et mettent ce texte en scène. La notion d'espace romanesque est à prendre au sens propre. Elle regroupe spécifiquement tous les espaces géographiques et physiques concrets mentionnés ou décrits dans le texte. Le but d'une démarche de type sociosémiotique est de brosser un tableau des fonctions idéologiques que remplissent ces espaces. L'un et l'autre des axes de recherche utilisés se complètent : le premier préconise une analyse plus rigoureusement immanente des structures spatiales de l'œuvre, le second permet d'élargir l'analyse vers une interprétation des rapports que l'œuvre entretient avec la société où elle s'inscrit.

Les différents espaces mis en place dans un roman sont dotés de fonctions et de valeurs diverses. Afin de déterminer ces fonctions et ces valeurs, il s'agit tout d'abord, selon des principes empruntés à Greimas, d'étudier de plus près les procédures d'aperception des *espaces topiques* du texte (soit ces espaces *centraux,* ces espaces déterminants du récit et de l'intrigue), d'étudier les voies et les moyens par lesquels le ou les sujets les appréhendent et les interprètent sur le plan du cognitif (Greimas, 1976 : 99). Cette conception de l'espace implique le personnage dans le processus de constitution même de l'espace ; elle prend en considération le fait que celui-ci prolonge au niveau textuel l'intention que veut y mettre l'auteur. Ce dernier utilise plus ou moins consciemment le ou les espaces qu'il met en place. Et c'est à l'aide de ce ou ces espaces qu'il définit à nouveau plus ou moins consciemment le rapport que son œuvre entretient avec la réalité sociale où elle vient s'inscrire. Cette réalité sociale ainsi présentée et représentée par l'auteur correspond à un *choix* que celui-ci aura effectué parmi les éléments du réel tels qu'il les perçoit. S'opère donc nécessairement un choix sémantique tout d'abord et idéologique ensuite, et c'est de ce choix que nous pouvons tenter de saisir les rouages et le fonctionnement.

Selon les théories élaborées par Lotman, l'inscription de ce choix dans le texte se fait de la façon suivante : l'espace est constitué d'un ensemble d'objets homogènes (de phénomènes, d'états, de fonctions, de figures, etc.) entre lesquels il y a des relations semblables aux relations spatiales habituelles (la continuité, la distance, etc.). Ces relations d'ordre spatial sont cependant investies de significations psychologiques et sociales. Deux systèmes de signification entrent ainsi en contact : un système purement lexical et verbal qui met en place un système de signification qui prendra des valeurs idéologiques spécifiques. La concordance des systèmes permet l'inscription dans le texte d'un discours idéologique :

> *Au niveau supra-textuel, au niveau de la modélisation purement idéologique,* le langage des relations spatiales se trouve être un des moyens fondamentaux pour rendre compte du réel. *Les concepts de « haut-bas », « droite-gauche », « proche-lointain », « ouvert-fermé », « délimité-non-délimité », « discret-continu » se trouvent être des matériaux pour construire des modèles culturels sans contenu spatial et ils prennent ainsi le sens de « valable-non valable », « bon-mauvais », « accessible-inaccessible », « mortel-immortel ».* [...] *Les modèles du monde sociaux, religieux, politiques, moraux les plus généraux à l'aide desquels l'homme, aux différentes étapes de son histoire spirituelle, donne sens à la vie qui l'entoure, se trouvent de la sorte invariablement pourvus de caractéristiques spatiales, tantôt sous la forme de l'opposition « ciel-terre », ou bien « terre-royaume souterrain » (structure verticale à trois termes, ordonnée selon l'axe haut-bas), tantôt sous la forme d'une certaine hiérarchie politico-sociale avec une opposition marquée des « hauts » aux « bas », tantôt sous la forme d'une marque morale de l'opposition « droite-gauche » [...] – tout cela s'ordonne en modèles du monde, dotés de traits nettement spatiaux. Ainsi, les modèles historiques et nationalo-linguistiques de l'espace deviennent la base organisatrice de la construction d'une « image du monde » – d'un modèle idéologique entier propre à un type donné de culture* (Lotman, 1973 : 311).

Le roman de Gabrielle Roy vient ainsi s'inscrire dans un contexte socioculturel déjà là et y apporte tout à la fois sa propre pièce du puzzle : elle met en place une certaine image du monde, et ce qui nous intéresse, c'est de voir comment celle-ci nous est transmise dans la structuration spécifique des espaces romanesques. Outre les travaux de Greimas, je fais appel également aux outils analytiques fournis, par exemple, par Duchet et Bakhtine.

De ce dernier, j'emprunterai la notion du chronotope qui me permettra de mieux qualifier certains espaces cruciaux du texte. Le chronotope est en effet une notion tout à fait efficace pour rendre compte de l'importance des « mouvements » effectués par les personnages dans un texte. Le mouvement, au sens strict de déplacement dans l'espace, permettant d'informer sur la nature d'un lieu décrit, est un moyen privilégié pour mettre en place un langage de connotations spatiales à valeur tout à fait non spatiale : ainsi, le déplacement spatial des personnages au sein du récit est une technique romanesque permettant de signifier la transformation intérieure du personnage, ou encore de lui conférer une position dynamique particulière dans l'œuvre. Le mouvement relie deux composantes essentielles du récit : il concrétise physiquement les changements et les conditions engendrées par et à travers le temps ; c'est cette dimension spatio-temporelle qui vaut à certains espaces leur valeur chronotopique. Les espaces chronotopiques auxquels j'ai accordé une attention particulière sont ceux de *la route* et celui du carrefour lié à celui de *la rencontre*. J'y reviendrai.

Quant à la sociocritique, elle vise avant tout le texte. Elle est elle-même lecture immanente de l'œuvre en ce sens qu'elle reprend à son compte cette notion du texte élaborée par la critique formelle et l'avalise comme objet d'étude prioritaire. Mais la finalité est différente, puisque l'intention et la stratégie de la sociocritique sont de restituer au texte des formalistes sa teneur sociale (Duchet, 1979 : 3). La sociocritique s'intéresse alors à la même question qui est de savoir comment les problèmes et les intérêts de groupe s'articulent sur les plans sémantique, syntaxique et narratif du texte littéraire (Zima, 1985 : 9), mais elle prolonge la réflexion et ouvre la voie à une interprétation plus idéologique du texte.

Comme je le signalais plus haut, il s'agit de comprendre quelle vision du monde nous offre ce roman et comment Gabrielle Roy nous la donne à travers une structuration spatiale spécifique de l'œuvre. Si les fonctions classiques de l'espace en tant qu'élément constitutif de l'œuvre sont respectées, ces espaces sont fortement investis de valeurs autres.

LES FONCTIONS (CLASSIQUES)
ATTRIBUÉES À L'ESPACE ROMANESQUE

Dès l'abord, on peut distinguer certaines fonctions classiques de l'espace romanesque. Il sert de *décor* à l'histoire, de toile de fond. Sa fonction est

avant tout représentative. Cependant, c'est un élément constructif de l'œuvre, car il participe à l'action à laquelle il donne sens et qu'il renforce. Dans
Bonheur d'occasion, le décor ou le « cadre » créé
pour le roman est celui des quartiers pauvres de la
ville de Saint-Henri qui se dessinent sur les flancs
du mont Royal. La localisation de l'action dans ce
quartier, situé à la limite de Westmount, ville anglophone la plus huppée de la région montréalaise,
donne le ton au roman et détermine géographiquement et socialement les actions et l'évolution
des personnages.

Une autre fonction importante de l'espace dans
un roman dit réaliste comme celui-ci est d'assurer la
part du réel de l'œuvre, la part de l'identifiable, du
référentiel qui exercera un pouvoir de fascination
sur le lecteur qui pourra dès lors se reconnaître
dans les espaces qui, au fil des pages, se proposent
à son imagination. Ces espaces peuvent assurer une
plus grande adhésion à l'œuvre. Ils peuvent aussi
fasciner par un caractère exotique dans le cas où le
lecteur ne connaît pas les espaces décrits. Les effets
de lecture sont différents, mais le but est le même :
captiver le lecteur et lui permettre de se déplacer
dans le monde de la fiction tel qu'il lui est présenté. Toutes les mentions des rues du quartier de
Saint-Henri (et elles sont nombreuses[1]) permettent

---

1. Par exemple, les rues Beaudoin, Workman, Notre-
Dame, Saint-Ambroise, Atwater, Saint-Ferdinand, Rose de

au lecteur informé de suivre pratiquement à la trace les personnages, ce qui renforce la nature rigoureusement réaliste de l'œuvre. Le lecteur étranger, qui ne connaîtrait ni Montréal ni Saint-Henri, pourrait aller vérifier l'exactitude des configurations des rues sur une carte et, à défaut de le faire, il y reconnaîtrait tout de même une logique urbaine globale. En devenant moins « personnelle », c'est-à-dire moins déterminée géographiquement, l'œuvre acquiert une valeur plus universelle[2] : la problématique exposée pourra être différenciée du cas particulier du Québec pour représenter la condition ouvrière et l'atmosphère du monde en guerre pendant les années 1940 en général.

Paradoxalement, les descriptions spatiales ne sont jamais tout à fait neutres, et surtout pas dans ce roman où les descriptions objectives sont rares,

---

Lima, du Couvent, Place Saint-Henri, Saint-Jacques – où se trouve la fonderie où travaille Jean, la *Montreal Metal Works* –, Sainte-Émilie, de Coucelles, puis le canal de Lachine, la Place Guay, la Place Sir-Georges-Étienne-Cartier où se situe la maison des Létourneau, l'église Saint-Henri, la ruelle Sainte-Zoé où habite Marguerite, la butte Saint-Henri, la rue Saint-Antoine là où est installé le Café de la mère Philibert, le dépotoir de la Pointe Saint-Charles.

2. Ce dont témoigne la peintre japonaise Miyuki Tanobe : « Un jour, j'ai lu *Bonheur d'occasion*. Ce roman me troubla profondément, je dois l'avouer. Toutes ces coïncidences, ces ressemblances revenaient sans cesse dans ma tête [...]. À la gare, mêmes départs de soldats pour la guerre ; au même observatoire longues minutes de réflexion ; même comptoirs de restaurant » (citée dans Hesse, 1985 : 160).

voire inexistantes. Presque toutes sont éminemment subjectives et, en plus de révéler l'implication émotive du narrateur et même de l'auteur, elles reflètent et révèlent des aspects importants des préoccupations des personnages. Ces spatialisations de la pensée des personnages (voir Bachelard, [1957] 1981) structurent leur vie intime (Matoré, 1962) et prennent du coup une valeur nettement anthropologique (Bureau, 1984). Lorsque la tempête terrasse Azarius, à des moments cruciaux de l'histoire, le parallèle avec la tourmente intérieure[3] s'impose :

> *Lui, si placide d'ordinaire, marchait ce soir d'un pas agile en lançant tout haut avec colère des bribes de phrases. Il en voulait tout à coup au*

---

3. Le vent exprime la tourmente de Jean : « [...] le vent hurlait tout au long de la chaussée déserte. [...] Le vent était le maître qui brandissait la cravache. [...] À force de regarder danser la neige sous ses yeux, il lui semblait qu'elle avait pris une forme humaine, celle même de Florentine » (Roy, [1945] 1993 : 29. Désormais les renvois à cette œuvre seront signalés par la seule mention BO- suivie du numéro de la page). La lutte de Florentine contre la force du vent marque sa détermination à vouloir rencontrer Jean (BO-37). Le tournoiement de la neige, dépeint de façon poétique, signifie la danse des invités chez les Létourneau (BO-130). Azarius est tour à tour « poussé » et « poursuivi par le vent » au moment où il s'apprête à nouveau à entrer au café de Sam Latour (BO-153). Lorsque Rose-Anna sort de la maison pour se rendre « arranger » un emploi pour Azarius auprès de Lachance, elle oscille, « prise de travers par un coup de rafale » (BO-164). La fureur du vent vient souligner la détresse de Florentine qui « s'enfuit dans une lame de vent qui semblait la happer » (BO-273).

> *maçon* [...]. *Il le voyait* [...] *avec aigreur comme*
> *la personnification de sa propre vie manquée*
> [...]. *Il luttait ainsi* [...] *contre des refus de sa*
> *conscience qu'il savait irrévocables* [...]. *Il mar-*
> *chait vivement, la tête enfoncée dans les épaules.*
> *La tempête diminuait, épuisée par sa propre vio-*
> *lence. Quelques rares étoiles brillaient entre les*
> *fissures des nuages* (BO-161).

Même les lieux déterminent le comportement des
personnages. Azarius n'est-il pas un autre homme
selon qu'il est au café des Deux Records ou à la
maison auprès de Rose-Anna ?

Mais l'art de Gabrielle Roy repose dans ce
pouvoir qu'elle a d'évoquer des destinées univer-
selles à travers des situations personnelles. L'étude
effectuée a permis de brosser un tableau des
espaces romanesques qui, à l'image d'une poupée
russe, s'emboîtent les uns dans les autres. C'est en
passant par une analyse des espaces englobants ou
plus « généraux » et « publics » que nous aboutirons
aux espaces englobés ou plus « particuliers » et
« privés ».

LES STRUCTURES SPATIALES SIGNIFICATIVES DE *BONHEUR D'OCCASION*

LA MACROSTRUCTURE SPATIALE DE L'ŒUVRE

La ville de Montréal

La ville de Montréal n'est que peu exploitée
dans le roman québécois à l'époque de la parution
de *Bonheur d'occasion,* en 1945. Pourtant, comme

chacun sait, l'ère des romans consacrés à la vie rurale est révolue, et la vie urbaine fait son apparition sur la scène littéraire ; elle devient assez brutalement un sérieux sujet d'observation (Sirois, 1968 : 3). Œuvre charnière par excellence, *Bonheur d'occasion* est consacrée tout entière au drame de l'urbanisation.

De fait, la ville de Montréal y est envisagée bien différemment selon les personnages et, surtout, selon les générations. Si elle est le lieu de tous les possibles, de l'espoir d'un avenir meilleur et prometteur pour les uns, elle est un lieu de déception, de dur labeur pour d'autres et, pire, un lieu où ils n'auraient peut-être jamais dû venir ? *Bonheur d'occasion* est avant tout « un drame de ville » (Marcotte, [1962] 1994 : 62).

Une première génération, celle née vers la fin du XIXe siècle, représentée par Madame Lachance, la mère de Rose-Anna, la rejette. Madame Lachance qui « semblait s'être muée en une négation obstinée de tout espoir » (BO-201) n'a jamais eu de bons sentiments envers la ville en général, et envers Montréal et ses habitants en particulier à qui elle préfère de loin les gens de la campagne :

> *Pour Azarius, un citadin, elle avait eu encore moins d'amitié que pour ses autres beaux-fils, tous de la campagne. Au mariage de Rose-Anna, elle avait déclaré : « Tu crois p't-être ben te sauver de la misère à c'te heure que tu vas aller faire ta dame dans les villes, mais marque ben ce que je te dis : la misère nous trouve. T'auras tes peines,*

toi aussi. Enfin, c'est toi qui as choisi. Espérons que tu t'en repentiras pas » (BO-203).

La mère de Rose-Anna s'emploie par tous les moyens à démontrer à sa fille sa défaite en lui pointant du doigt ses misères et sa pauvreté. Cependant, Rose-Anna se raccroche à certains de ses principes qui, somme toute, correspondent à autant d'illusions et qui consistent à s'assurer que ses enfants sont mieux mis que ceux de ces frères – bien qu'en plus mauvaise santé comme l'accuse leur maigreur –, et se raccroche à l'idée que son homme « tranchait de tout son prestige de citadin sur ses beaux-frères en bras de chemise » (BO-204), ce dont elle est fière.

Pour la deuxième génération, celle des adultes d'âge moyen, représentée par Rose-Anna et Azarius qui *est* un citadin, la ville est un lieu de déception, et l'un comme l'autre se le cachent. Rose-Anna est finalement encore de la génération de ceux qui ne faisaient pas ce qu'ils voulaient, comme le lui rappelle sa propre mère : « [...] on arrange pas ça comme on veut. Dans le temps tu pensais avoir ton mot à dire... toi... » (BO-201). La ville est avant tout ce lieu qui a vu ses espoirs disparaître les uns après les autres, ce lieu où elle est arrivée jeune et souriante, rêvant à un avenir florissant et qui l'oblige dans l'espace-temps du présent du récit à constater l'échec.

Pour les jeunes de la génération montante, tels Jean et Florentine, la ville constitue un défi, un tremplin pour s'élever au-dessus de leur condition sociale, pour accéder à un monde meilleur, davantage pour Jean tout d'abord qui affirme : « [M]oi, là, j'aurai bientôt mis le pied sur le premier barreau de l'échelle… et good-bye à Saint-Henri ! » (BO-85), et pour Florentine ensuite qui se dit : « C'est pas vrai […]. Moi, je ferai comme je voudrai. Moi, j'aurai pas de misère comme sa mère » (BO-89). Elle espère accéder à toutes les richesses que la ville lui propose grâce à Jean :

> *Il semble à Florentine que, si elle se penchait vers ce jeune homme, elle respirerait l'odeur de la grande ville grisante, bien vêtue, bien nourrie, satisfaite et allant à des divertissements qui se paient cher. Et soudain elle évoqua la rue Sainte-Catherine, les vitrines des grands magasins, la foule élégante du samedi soir, les étalages de fleuristes, les restaurants avec leurs portes à tambours et leurs tables dressées presque sur le trottoir derrière les baies miroitantes, l'entrée lumineuse des théâtres, leurs allées qui s'enfoncent au-delà de la tour vitrée de la caissière, entre les reflets des hauts miroirs, de rampes lustrées, de plantes, comme en une ascension si naturelle vers l'écran où passent les plus belles images du monde : tout ce qu'elle désirait, admirait, enviait, flotta devant ses yeux* (BO-19).

Il est écrit en toutes lettres que cette ville « l'appelait maintenant à travers Jean Lévesque » (BO-19). Mais Jean la rejette, car elle représente justement tout ce qu'il fuit : « […] l'odeur de la pauvreté, cette odeur implacable des vêtements pauvres, cette pauvreté qu'on reconnaît les yeux clos » (BO-213). Elle représente « ce genre de vie misérable contre laquelle tout son être se soulevait », même si, en même temps, il est attiré par elle :

> *Elle était sa misère, sa solitude, son enfance triste, sa jeunesse solitaire ; elle était tout ce qu'il avait haï, ce qu'il reniait et aussi ce qui restait le plus profondément lié à lui-même, le fond de sa nature et l'aiguillon puissant de sa destinée* (BO-213).

La ville est dure. Personne ne compte sur personne, et Gabrielle Roy exprime bien la montée de l'individualisme qui va de pair avec l'urbanisation.

Bonheur d'occasion marque bien sa fonction de roman de la transition entre le roman du terroir et le roman urbain où Montréal et Saint-Henri surtout permettent d'exprimer la difficile adaptation d'une population qui, restée campagnarde, n'est pas encore tout à fait apte à affronter la dure vie dans la grande ville.

La montagne

Malgré leurs différences, tous les personnages dressent un portrait assez similaire de la ville, portrait qui est fait de contrastes, où la richesse de la rue Sainte-Catherine s'oppose férocement à la cruelle pauvreté de la rue Workman, en particulier, et de toutes ces autres rues de ce quartier populaire qui souffre au pied du mont Royal. C'est vers lui que tous les personnages lèvent les yeux. Et cette opposition spatiale du bas vers le haut prédomine dans le roman. Elle métaphorise la situation des personnages des bas quartiers pauvres vis-à-vis celle des personnages des quartiers riches situés plus haut. Elle reprend à son compte la structuration de la hiérarchie sociale et, plus spécifiquement, l'idée des échelons à *gravir* pour atteindre les hautes sphères de la société. Bien évidemment, elle est également connotée religieusement et, dans le contexte catholique du Québec d'alors, elle signifie l'opposition classique entre la terre et le ciel et entre l'enfer et le paradis.

Chez Jean, l'individualiste, la montagne à laquelle il veut se mesurer éveille des désirs d'ascension sociale (BO-84). Elle constitue pour lui un défi, un but à atteindre. Elle permet à Emmanuel de mesurer le fossé séparant les deux communautés qui se côtoient, fossé défini en fonction de l'opposition du haut au bas :

> *Le faubourg le tenait maintenant comme dans une prison de doute, d'indécision, de solitude. Il décida de* gravir *la montagne. Plusieurs fois il y avait trouvé une sorte d'apaisement. Arrivé à la rue Greene, il* monta *à grandes enjambées la* côte raide *qui aboutit à la rue Dorchester.*
> *Il se trouva dans Westmount. Les odeurs de blé, d'huile, de tabac sucré s'étaient détachées de lui en route et, maintenant, arrivé* au-dessus *du faubourg, il aspira un air salubre, imprégné de feuilles fraîches et de gazon humide. Westmount, la cité des arbres, des parcs et des silencieuses demeures l'accueillait*[4] (BO-332).

---

4. C'est moi qui souligne.

À Rose-Anna, la montagne n'inspire que de la méfiance, mais elle doit s'y rendre pour visiter son petit garçon malade :

> *Depuis une grande heure Rose-Anna marchait en direction de la montagne. Elle avançait à pas lents et tenaces, le visage baigné de sueur, et enfin, arrivée à l'avenue des Cèdres, elle n'osa de suite l'attaquer. Taillée à même le roc, la voie montait en pente rapide. Au-dessus brillait le soleil d'avril. [...] Rose-Anna [...] laissa filer son regard autour d'elle. Une haute clôture se dressait à sa gauche sur un terrain vague. Entre les tiges de fer, au loin, toute la ville basse se précisait* (BO-225).

Et l'hôpital dans lequel est soigné son petit Daniel est « situé tout en haut de l'avenue des Cèdres » (BO-225). Tout cela lui parut littéralement « de mauvais augure » (BO-226). Elle s'imaginait Daniel « isolé, tout petit » (BO-226) au milieu des anglophones, et son effroi ne fit que grandir lorsqu'elle constata qu'il était soigné par Jenny, une infirmière unilingue anglophone qu'elle ne comprenait pas (BO-232-233). Rose-Anna ne reviendra pas, préférant envoyer sa petite et sainte fille auprès de son frère.

Westmount et Saint-Henri

Autour de la montagne gisent les quartiers populaires. S'ils l'encerclent de plusieurs côtés, elle les domine de sa hauteur « royale ». Ce sont les regards des personnages qui établissent le plus nettement l'opposition spatiale soulignant un mouvement prospectif qui va du bas vers le haut, de Saint-Henri à Westmount. Bien que ces deux quartiers soient limitrophes, selon une orientation géographique nord-sud, ils n'ont pas grand-chose en commun, à part dépendre de la même ville : Montréal.

Dans les romans canadiens d'expression française, Westmount incarne le sommet de la richesse, de la puissance et du prestige, et elle est considérée à peu près uniquement comme un bastion anglais (d'où la présence de l'infirmière anglaise). Son emplacement, surplombant les quartiers industriels, commerciaux ou ouvriers, lui confère une position de supériorité (Sirois, 1968) que dénonce le roman :

> Au-delà, *dans une large échancrure du faubourg, apparaît la ville de Westmount, échelonnée jusqu'au* faîte de la montagne *dans son rigide confort anglais. Il se trouve ainsi que c'est aux voyages infinis de l'âme qu'elle invite. Ici, le luxe et la pauvreté* se regardent *inlassablement, depuis qu'il y a Westmount, depuis qu'*en bas à ses pieds, *il y a Saint-Henri.* Entre eux *s'élèvent des clochers*[5] (B0-36).

Saint-Henri est l'un des quartiers ouvriers les plus typiques de la métropole. Dans son axe est-ouest, Saint-Henri longe les voies de communication que sont le canal de Lachine, la voie ferrée et

---

5. C'est moi qui souligne.

le fleuve Saint-Laurent, sur lesquelles se dressent les usines. Toutes trois sont très ancrées dans le roman. L'artère principale, sorte d'échine qui relie les divers quartiers pauvres, c'est la longue rue Notre-Dame qui suit parallèlement et d'assez près le canal de Lachine et le fleuve. C'est sur cette rue qu'est situé le Quinze-Cents où travaille Florentine, ce « bazar », « magasin », « restaurant » (BO-15), l'un des deux cafés qui servent de points de rencontre du roman. Le portrait qui est fait de Saint-Henri montre avant tout la misère :

> À ces quatre intersections rapprochées la foule, matin et soir, piétinait, et des rangs pressés d'automobiles y ronronnaient à l'étouffée. Souvent alors des coups de klaxons furieux animaient l'air comme si Saint-Henri eût brusquement exprimé son exaspération contre ces trains hurleurs qui, d'heure en heure, le coupaient violemment en deux parties.
>
> Le train passa. Une âcre odeur de charbon emplit la rue. Un tourbillon de suie oscilla entre le ciel et le faîte des maisons. La suie commençant à descendre, le clocher Saint-Henri se dessina d'abord, sans base, comme une flèche fantôme dans les nuages. L'horloge apparut ; son cadran illuminé fit une trouée dans les traînées de vapeur ; puis, peu à peu, l'église entière se dégagea, haute architecture de style jésuite. Au centre du parterre, un Sacré-Cœur, les bras ouverts, recevait les dernières parcelles de charbon. La paroisse surgissait. Elle se recomposait dans sa tranquillité et sa puissance de durée. École, église, couvent : bloc séculaire fortement noué au cœur de la jungle citadine comme au creux des

> *vallons laurentiens. Au-delà s'ouvraient des rues à maisons basses, s'enfonçant de chaque côté vers les quartiers de grande misère, en haut vers la rue Workman et la rue Saint-Antoine, et, en bas, contre le canal de Lachine où Saint-Henri tape les matelas, tisse le fil, la soie, le coton, pousse le métier, dévide les bobines* (BO-35).

Le climat psychique et psychologique créé exprime un fort sentiment d'infériorité doublé d'un sentiment de totale dépossession et d'emprisonnement dans cet espace malsain.

Il faudra de l'amour pour donner à ce quartier un semblant de beauté. Et c'est Emmanuel qui, vers la fin du roman, rentrant chez lui lors de sa seconde permission, parle de ce quartier avec fierté et amour : « C'était un soir langoureux, déjà chaud » (BO-297) ; il se l'approprie fièrement en parlant de *son* village, de *son* quartier, et l'image du bonheur qu'il ressent à sa vue est parfaitement exprimée par la proposition exclamative prononcée à la fin du tableau positif qu'il brosse : « Saint-Henri : termitière villageoise ! » (BO-299). Le bonheur se trouverait-il dans cette union de l'urbain et du campagnard ?

L'opposition haut/bas est finalement prolongée dans l'attitude sociale des personnages : ainsi Jean a « employé son temps depuis quelques années, [à] s'élever au-dessus de ses anciens compagnons » (BO-33). Florentine se sent également supérieure à ses compagnes de travail qu'elle considère toutes comme stupides et indignes de son amitié.

LA MICROSTRUCTURE SPATIALE DU ROMAN

La maison familiale

Au niveau de ce que je nommerai la « microstructure » du roman, le lieu topique par excellence dans *Bonheur d'occasion* est la maison familiale des Lacasse, rue Beaudoin. Même si elle n'apparaît pour la première fois qu'au chapitre V, elle constitue cet espace où l'on passe, vit et souffre, cet espace où se décide l'avenir de la majorité des personnages. La maison est décrite comme étant « petite » et « encombrée » (BO-71) ; les enfants dorment où ils peuvent dans le salon, sur « les deux sofas et sur le canapé » (BO-69). « Nul endroit [n']offrait la solitude » (BO-71). C'est « un malheur indistinct qui rôdait » dans cette maison (BO-70), sur laquelle plane déjà (dès la page 88) la constante menace du déménagement obligatoire au printemps. Souvent les personnages jettent un regard circulaire pour constater le désolation de l'endroit, tel Eugène (BO-72 et BO-243). S'ils ne rêvent que de la fuir, tous y reviennent cependant par nécessité (chapitres VII, XIII, XVI, XIX et XXIV). Au chapitre XXX, la situation est critique : avant même que la famille Lacasse n'ait eu le temps de déménager, l'espace précaire du privé devient public à partir du moment où il est envahi par les meubles des nouveaux locataires. Puis, la famille se déplace de la rue Beaudoin à cette rue *sans nom,* au bord de la voie ferrée qui apparaîtra ensuite dans les chapitres XXXI et XXXII. C'est par là que passera chacun des personnages principaux que ce soient les membres de la famille ou encore Jean Lévesque et Emmanuel Létourneau.

De façon générale, les maisons familiales sont caractérisées par l'opposition sémantique ouvert/fermé, qui signifie l'ouverture par opposition à l'enfermement, la liberté par opposition à l'emprisonnement. Elles constituent pour chacun des personnages une *prison,* un empêchement de vivre : pour Emmanuel qui habite chez ses parents, Place Sir-Georges-Étienne-Cartier :

> *Il jeta un « bonsoir » rapide, gêné, aux siens qu'il quittait en si grande hâte, et se retrouva dans la rue avec le sentiment de s'échapper d'une prison… Oh ! une prison bien agréable, pas sévère, une prison de tendresse, mais qui, tout de même, quelquefois l'énervait* (BO-302) ;

pour Florentine et pour Eugène qui ressentent fortement « le triste étau de la maison » (BO-243) ; pour Azarius qui y est mis en face de toute l'ampleur de son inutilité. Quant à Jean, dans cette maison que lui procurent ses parents adoptifs, il a toujours ressenti « une solitude[6] pire que celle de

---

6. Pourtant, Jean est le seul personnage à aimer la solitude qui « l'exaltait parce qu'il y trouvait comme le libre épanouissement de lui-même » (BO-111), « [l]ui qui était solide », lui qui aimait s'entourer d'une « froide solitude » (BO-219). Florentine, au contraire, redoute cette atroce solitude dont elle se rend compte, cette « solitude inimaginable » (BO-194), l'« insupportable angoisse » (BO-279) :

l'orphelinat » (BO-210) et il s'en échappera pour assurer, comme il est dit, le rétablissement « de ses forces morales » (BO-211).

Tous les espaces qui gravitent autour de l'espace central qu'est la maison des Lacasse, remplissent des fonctions plus ou moins importantes dans le processus de transformation et d'évolution du récit. Deux espaces se distinguent toutefois.

Le Quinze-Cents et les Deux Records

Tout d'abord il y a le Quinze-Cents, le restaurant où travaille Florentine et sur lequel s'ouvre le roman. Il est situé significativement sur l'axe spatial le plus passant de la ville : la rue Notre-Dame. Il constitue le cadre dans lequel se déroule l'action des chapitres I, VI, VIII et IX, et on y fait aussi allusion (BO-241). L'organisation spatiale du restaurant se résume au comptoir, à la grande glace derrière le comptoir et au magasin lui-même.

« Florentine s'aperçut qu'elle était seule au monde avec sa peur. Elle entrevit la solitude, non seulement sa solitude à elle, mais la solitude qui guette tout être vivant, qui l'accompagne inlassablement, qui se jette soudain sur lui comme une ombre, comme un nuage. Et pour elle, la solitude, cet horrible état qu'elle découvrait, prenait un goût de pauvreté, car elle s'imaginait encore que dans le luxe, dans l'aisance même, il n'y a point de pareille découverte » (BO-262). Et bien qu'elle comprenne qu'Emmanuel « était aussi seul qu'elle-même » (BO-135), cela ne la rapproche en rien de lui. C'est peut-être même l'inverse qui se produit. Ce qu'elle veut, c'est un homme fort qui la tirera vers le haut et non quelqu'un qui, au fond, lui ressemble.

Ensuite, il y a les Deux Records, ce « petit restaurant » de Sam Latour qui,

> *comme la plupart des petites boîtes de ce genre dans le quartier, était moins restaurant que tabagie, casse-croûte et débit de boissons non alcooliques, de crème glacée, de gomme à mâcher. Il tirait son nom d'un commerce fort éloigné du métier de restaurateur : la vente de disques, chansons françaises et américaines dont la vogue dépérissait à Montréal, mais qui plaisait encore beaucoup dans Saint-Henri* (BO-41).

C'est là que se rencontrent les hommes du quartier ; c'est toujours là que se rend Azarius Lacasse lorsqu'il a fini de tourner en rond. C'est dans ce café, lieu de rencontre et espace social par excellence, que se déroulent principalement les discussions politiques sur la seconde guerre mondiale, l'enrôlement volontaire et la conscription, question plus contraignante et menaçante. Il sert de décor à l'action des chapitres III, XII et XXVI et il y est fait allusion au chapitre XIX (BO-239).

C'est aussi aux Deux Records que se rencontrent les trois hommes qui comptent dans la vie de Florentine. C'est toujours là que se tient son père, cet homme qu'elle a si longtemps vénéré, et qui autrefois savait si bien la faire rêver, celui à qui elle ressemble peut-être le plus. C'est là que Jean découvrira Azarius, cet « homme de belle taille en livrée de taxi [qui] paraissait approcher la quarantaine », cet homme à « l'œil étincelant d'enthousiasme » qui entrait dans l'âge mur (BO-43). Jean saisit bien la ressemblance[7] avec la fille (BO-45) de ce père pour qui il n'éprouve que du mépris, du dédain et qu'il qualifie impitoyablement d'« idéaliste » et, pire, d'« incapable » (BO-47). Il décharge en fait sur cet homme toutes les frustrations dues aux sentiments qu'il éprouve malgré lui pour cette Florentine dont il ne veut pas. L'attitude d'Emmanuel est tout autre : déjà amoureux de la jeune fille, il abordera le père avec fierté : « Monsieur Lacasse, je suis Emmanuel, dit-il. Je connais bien Florentine » (BO-309).

Ces deux espaces publics, éminemment masculins et *traversés* par les hommes principalement, s'opposent aux espaces privés de la maison, féminins et *habités* principalement par les femmes, et remplissent des fonctions chronotopiques importantes. Les personnages s'y rendent, y restent un instant plus ou moins long pendant lequel ils entrent en interaction les uns avec les autres pour en ressortir changés, ce qui relancera et influencera leur attitude et accusera chaque fois une nouvelle évolution du récit.

Tous les espaces du roman remplissent ainsi des fonctions *sociales,* sauf un.

---

7. Le père et la fille ont la même attitude vis-à-vis de la vie qu'ils mènent : « Tu détestes ça ici », lui dira Jean (BO-23). Son père déteste également la vie qu'il mène.

L'espace de Jean Lévesque

L'espace privé de Jean Lévesque est un espace bien particulier à différents points de vue : c'est un endroit qu'il a lui-même *choisi* d'habiter à la différence des autres protagonistes qui vivent plutôt *où ils peuvent* : Jean « avait choisi de s'y établir parce que [...] le quartier, avec le roulement, le battement, les sifflements de ses fins de jour et les grands silences inquiets de ses nuits l'aiguillonnait au travail » (BO-31). Il vit seul, ce qui n'est pas le cas des autres personnages. La maison qui abrite son petit garni se trouve immédiatement devant le pont tournant de la rue Saint-Augustin et produit sur lui un effet singulier, « le même effet que ses promenades solitaires dans les avenues brillamment éclairées de Montréal. Elle l'exaltait, le soulevait, lui apportait comme la présence d'un obstacle immédiat à vaincre » (BO-30). Cette maison

> voyait passer *les bateaux plats, les bateaux-citernes dégageant une forte odeur d'huile ou d'essence, les barges à bois, les charbonniers, qui tous lançaient juste à sa porte leurs trois coups de sirène, leur appel au passage, à la liberté, aux grandes eaux libres qu'ils retrouveraient un peu plus loin, lorsqu'ils en auraient fini des villes et sentiraient leur carène fendre les vagues des Grands Lacs. Mais la maison n'était pas seulement sur le chemin des cargos. Elle était aussi sur la route des voies ferrées, au carrefour pour ainsi dire des réseaux de l'Est et de l'Ouest et des voies maritimes de la grande ville. Elle était sur le chemin des océans, des Grands Lacs et des prairies.*

> [...] *Étroite de façade, la maison se présentait drôlement à la rue* [...]. *On eût dit un vaisseau balourd dont la proue immobile cherchait à fendre le bruit et les ténèbres*[8] (BO-31-32).

Les métaphores marines symbolisent la détermination du personnage à changer d'espace vital. L'image du carrefour souligne bien la position de Jean en passe d'abandonner son passé pour un futur meilleur. Cette notion signifie entièrement l'état de l'entre-deux, de l'ouverture sur le monde ou, plus simplement, de l'ouverture sur l'avenir. Le phénomène d'anthropomorphisation de la maison, enregistrée par l'attribution de la vue, confère encore à cet espace une valeur d'extraordinaire. À l'image de cet appartement, Jean

> *était lui-même comme le bateau, comme le train, comme tout ce qui ramasse de la vitesse en traversant le faubourg et va plus loin prendre son essor. Pour lui, un séjour à Saint-Henri ne le faisait pas trop souffrir ; ce n'était qu'une période de préparation, d'attente* (BO-36).

Semblable aux deux espaces chronotopiques précédents, le Quinze-Cents et les Deux Records, ce lieu a ceci de particulier qu'il enregistre et signifie l'état de passage d'un état à un autre, mais là où les deux autres impliquaient une participation collective, ce dernier espace ne renvoie qu'à l'unique, à l'individuel, et non au collectif.

---

8. C'est moi qui souligne.

LA STRUCTURE CHRONOTOPIQUE DU ROMAN

LA ROUTE : LES DÉPLACEMENTS DES PERSONNAGES

La localisation de l'histoire dans le quartier Saint-Henri joue, comme nous le voyons, un rôle déterminant pour le devenir de chacun des personnages, en les emprisonnant dans un statut social dont il est difficile de se dégager. Le poids du passé ouvrier, du présent de désœuvrement et de chômage empêche de voir l'avenir. Pour s'en sortir, les personnages doivent effectuer un déplacement significatif dans l'espace. Mais le déplacement sera couronné de succès pour l'un d'entre eux seulement.

Jean, jeune mécanicien à la mâchoire dure et volontaire, les yeux sans cesse braqués vers la montagne (BO-84), veut coûte que coûte s'arracher à la pauvreté de Saint-Henri, à sa propre misère. Il constitue ce personnage pivot, représentant d'une génération qui tourne le dos à un passé idéalisé pour se plonger dans la réalité urbaine (Sirois, 1968 : 96). Il s'en sort apparemment avec succès, en partant pour Saint-Paul l'Hermite (BO-307), mais seul, tout à fait seul[9]. Sur une carte

---

9. « Jean Lévesque, personnage en qui j'ai incarné le refus des responsabilités sociales, l'égoïsme qui conduit l'être humain à accepter les avantages de la société sans lui sacrifier la moindre parcelle de sa liberté, Jean Lévesque, je n'en doute guère, doit profiter amplement des conditions où la vie l'a placé » (Roy, 1996 : 184).

envoyée à Emmanuel, il ne griffonnera que les mots : « Out for the big things » (BO-307). L'utilisation ici de l'anglais, cette langue du dominateur, celle de la réussite économique, est significative. Sa réussite se reflète dans l'élégance des habits neufs qu'il porte à la fin du roman, au moment même où le train s'éloigne, emportant Emmanuel vers sa mort lointaine[10] : « Jean portait un complet neuf de bonne coupe [...] Sa cravate était de même teinte que les souliers d'été, et le chapeau de feutre souple mollement rejeté en arrière. » Le contraste avec Emmanuel, enregistré par Florentine, est saisissant : « Emmanuel surgit à son esprit dans l'uniforme kaki un peu froissé et les grossières bottines » (BO-402).

Mais le déplacement dans l'espace ne sera certainement pas seulement signe d'une promotion sociale ou même d'une simple amélioration.

Le déplacement à la campagne (annoncé au chapitre XIII et réalisé au chapitre XV) sert déjà uniquement les illusions. Grâce à la structure chronotopique de la route, le temps et l'espace se fondent, la ville cède la place à la campagne et, en même temps, permet de joindre le présent et le passé pour propulser momentanément les person-

---

10. « Je sais bien qu'Emmanuel est mort ; il était l'esprit de l'intransigeante jeunesse qui ne veut rien de moins que la justice parfaite, et ainsi il est marqué pour le sacrifice » (Roy, 1996 : 185).

nages dans l'espace de la rêverie. Tous les Lacasse « cherche[nt] *ailleurs*[11] le bonheur » (BO-176). Or le voyage n'apporte que déception, et se solde par le constat de l'insurmontable écart entre le monde de la ville et celui de la campagne symbolisée par la vallée du Richelieu, lieu d'enfance de Rose-Anna. Le voyage sera d'ailleurs à l'origine d'un nouveau désastre, puisqu'il entraînera le renvoi d'Azarius (il s'est effectivement fait « slacquer » pour avoir emprunté un camion sans permission). Cette partie de campagne se situe significativement au milieu du roman et marque un tournant décisif dans le récit : le rêve et le bonheur de la partie de campagne, entraînant le chômage d'Azarius, sera peut-être l'épreuve ultime qui le poussera à s'enrôler dans l'armée, à quitter cette vie qu'il ne supporte plus. Florentine profitera de ce même voyage pour orchestrer, malgré elle cependant, son propre malheur. Elle invitera Jean chez elle (chapitre XVI) ; il abusera d'elle (BO-214) puis disparaîtra, pendant la deuxième moitié du roman, la laissant seule avec son malheur et sa grossesse honteuse. L'opposition bonheur/malheur mise en place par ce déplacement vers la campagne est extrême et transforme définitivement le cours des événements.

Le déménagement de la famille Lacasse (BO-294) sera finalement signe d'une nouvelle régression sociale et l'annonce du chaos final :

---

11. C'est moi qui souligne.

> *Il fallait bien qu'il y eut un inconvénient. Il y avait toujours un inconvénient. Des fois, c'était l'ombre ; des fois, c'était le voisinage d'une usine ; d'autres fois, c'était l'exiguïté du logement ; ici, c'était la proximité du chemin de fer* (BO-294).

La maison et ses occupants sont géographiquement et métaphoriquement situés « dans une impasse » : « Aucun trottoir n'y donnait accès », et « il fallait pour y arriver côtoyer les rails de près et la suie s'y amoncelait si épaisse que cette porte semblait ne pas avoir été ouverte depuis des mois » (BO-303).

Lorsqu'à la fin du roman Azarius et Emmanuel, et d'autres encore comme Pitou par exemple, partent à la guerre, ils s'en sortent nettement moins bien que Jean, puisque leur déplacement vers la France débouchera sans doute sur la mort, qu'elle soit psychologique ou physique. Emmanuel, qui y avait cru pourtant, y voit ultimement et lucidement la « suprême faillite de l'humanité » (BO-398).

Contrairement au déplacement de Jean, ces trois autres déplacements débouchent sur le malheur des personnages.

LA FUITE VERS UN AILLEURS

Pour les personnages du roman, l'idée du déplacement semble directement liée à celle de la fuite. Ainsi, le mot « fuite » est l'un des mots clés de ce roman. Tous les personnages, à l'exception peut-être de Rose-Anna, fuient leur propre réalité. En témoignent les nombreuses occurrences du terme dans le texte. Jean fuit (BO-217, BO-220,

BO-222), lui qui finalement s'échappe et part « sans laisser d'adresse » (BO-264), répondant à ce violent désir d'« abattre, [d']abattre tout ce qu'il y a derrière » (BO-218).

Florentine veut fuir et elle s'échappe de sa réalité en jouant continuellement des rôles : par exemple, lorsqu'elle adopte le rôle de ménagère affairée lors de la visite de Jean dans la maison familiale, ce qui ne fait qu'éveiller en lui son « instinct de défense contre l'ordre domestique » (BO-208-209) ; autre exemple : « Elle s'évertuerait tellement à mettre dans sa vie toutes les *apparences*[12] du bonheur, que le bonheur y viendrait faire sa place », espoir lui aussi déçu *in fine* (BO-267). Elle aura déjà envie de fuir devant elle, n'importe où lorsqu'elle se rend compte de la tristesse de son avenir, mais elle ne fuira que plus tard dans la nuit sous le regard d'horreur que sa mère porte sur elle lorsqu'elle découvre que sa fille est enceinte[13] (BO-273), et elle fuira loin de Jean à la fin du roman lorsqu'elle se rendra compte qu'il ne

---

12. C'est moi qui souligne.

13. Elle qui accusait sa mère d'être enceinte une douzième fois (« T'attends encore », BO-89), elle qui se promettait une vie meilleure que sa mère, se retrouve à son tour enceinte et, de surcroît, en dehors du mariage. Quel avenir lui reste-t-il maintenant qu'elle se voit enfermée dans ce que Patricia Smart nomme le cercle vicieux du rôle maternel, ce cercle justement qu'il s'agit d'ouvrir pour effectuer une transformation culturelle (1988 : 197-233) ?

pourrait lui apporter que des malheurs (BO-402) ;
elle décide alors de se tourner rigoureusement vers
l'avenir (BO-403). Tout comme son père, elle ne se
résignera pas à abandonner l'espoir, et c'est peut-
être ce qui la sauvera[14].

Azarius ne rêve également que de cela et son
engagement dans l'armée sera de ce point de vue
tout à fait décisif : le « tu vas être débarrassé de
moi » qu'il lance à Rose-Anna comme ultime justification de son enrôlement cache, en fait, un sens
beaucoup plus réel et en même temps ambigu et
égoïste. Cette décision répondra bien plus à une
envie exprimée tout au long du roman, une envie
d'évasion (BO-167), un sentiment de fuite déjà ressenti au cours de la journée à la campagne : « Du
voyage, il ne voyait que la fuite » (BO-180). La fuite
« était comme l'assurance de sa propre libération »,
et non celle de Rose-Anna, puisqu'elle devra dès
lors s'occuper seule, infiniment seule, de la famille,
de la maison et des problèmes quotidiens. Azarius
rêve de « s'en aller… selon tout instinct de justice… », pour « ne plus avoir à souffrir » (BO-367).
À la fin du roman, il reste longuement à la fenêtre

---

14. Il faudra pourtant croire Gabrielle Roy elle-même
désillusionnant tout lecteur ayant espéré avec Florentine,
car elle nous assurera que Florentine plus tard aura pris le
visage « de milliers de femmes ; le visage émacié, tendu et
fardé qu'on voit dans les tramways bondés, derrière les
comptoirs des magasins, au fond de l'usine, à la fabrique,
partout, partout » (1996 : 183).

pour regarder les rails luisants. «Toujours ils l'avaient fasciné. Fermant un peu les yeux, il les vit qui se déroulaient à l'infini et le conduisaient vers sa jeunesse retrouvée. Libre, libre, incroyablement libre, il allait recommencer sa vie », idée qui le fait littéralement saliver (BO-393). Dès lors, il pourra retrouver sa dignité et toute sa fierté (BO-396), grâce à cette armée qui fera de lui un homme à part entière : il assumera une fonction importante dans la société et il pourra faire vivre les siens avec ces «cinquante-cinq piasses par mois » que l'enrôlement leur rapportera (BO-391). Rose-Anna en sera «troublée *mortellement*[15] » (BO-393).

Le lieu vers lequel Azarius fuit est paradoxalement un lieu rêvé et irréel, puisqu'il s'agit d'un lieu encore jamais vu. Il s'agit de la France. Cependant, l'imagination fonctionne à plein, et la France caractérisée par sa ligne «Imaginot» (BO-43, BO-310-314) devient dans l'esprit d'Azarius «un si beau pays » (BO-310), un pays riche de ses Napoléon, de sa Jeanne d'Arc (BO-310). L'horreur de la guerre disparaît totalement pour laisser la place à autre chose. L'Europe en guerre, fictionnalisée par la déformation de la graphie et de la prononciation des noms des différents pays impliqués («l'Anguelterre », la «Palogne » et la «Tchécoslaquie », BO-44), se transforme en un vaste espace d'aventures. Elle devient une sorte de nouveau «Klondike » (BO-326)

---

15. C'est moi qui souligne.

offrant tristement aux hommes de Saint-Henri leur « seule chance de redevenir [des] homme[s] » (BO-61). Il n'y a que Rose-Anna qui semble consciente des dangers véritables que constitue la guerre pour ses hommes. Elle désespère lorsque son aîné Eugène, poussé sans doute par le besoin de fuir à son tour loin de la maison où tout respire la misère (BO-243), lui annonce qu'il vient de s'engager (BO-71) ; elle qui « n'avait jamais haï personne dans sa vie », « elle haïssait les Allemands », elle « haïssait d'une haine implacable ce peuple inconnu » (BO-240). Et ce passage où elle évoque ces milliers d'autres femmes, « ses sœurs » (BO-241) qui comme elle restent en arrière à attendre désespérément le retour des leurs est très touchant (BO-240). Là où Azarius voit l'engagement dans les troupes armées comme un acte servant l'humanité et surtout un besoin pour sauver la « démocratie » (BO-45), Rose-Anna, poussée par « son instinct de gardienne » (BO-241), ne peut s'empêcher de remarquer : « On est au Canada [...] ; c'est bien de valeur ce qui se passe là-bas, mais c'est pas de notre faute » (BO-240). Et lorsque Azarius lui annoncera enfin son départ, elle ne pourra que lancer un énorme cri de désespoir (BO-394), un désespoir dont elle ne pourra se consoler, comme le remarque Florentine dans les dernières pages du roman (BO-404).

Même le passage du temps est évoqué comme étant une fuite (BO-258, BO-269) et s'impose aux personnages pour exprimer l'irréversibilité des choses et l'inexorable tristesse de l'avenir sans issue qui semble s'offrir à chacun d'eux. Même l'arrivée du printemps, saison par excellence du renouveau, ne pouvait plus apporter la joie (BO-259). En fait, la fuite du temps n'est bénéfique qu'en de rares moments, lorsqu'elle écourte l'attente et rapproche les gens qui s'aiment (BO-302).

*
*   *

L'analyse des espaces romanesques de *Bonheur d'occasion* montre comment, au niveau de la structuration spatiale, cette œuvre exprime le drame de l'urbanisation et expose bien l'ambivalence de la ville, séduisante et terrifiante à la fois (Sirois, 1968). Et le but visé par Gabrielle Roy, dénoncer la misère de Saint-Henri, est plus qu'atteint. Ce qu'elle dénonce peut-être avant tout, c'est l'infériorité économique de ces habitants de Saint-Henri dont la plupart, jeunes et vieux, sont au chômage, ravagés par l'oisiveté, et d'autres sont exploités par ceux dont le nom est tu mais le lieu de résidence précisé. L'opposition sémantique spatiale la plus exploitée est celle du haut par rapport au bas.

On peut se demander par moments ce qui constitue véritablement le sujet du roman : les personnages et leur vie de misère, ou le quartier en lui-même que Gabrielle Roy dépeint si « humainement » ? Les maisons, les rues, les cafés semblent parler au lecteur et s'érigent en autant d'actants significatifs de l'œuvre. À la fin du roman, c'est le train qui « dévale » (BO-405) dans le faubourg et non pas Emmanuel, ce sont les barrières du passage à niveau, le Sacré-Cœur de bronze, l'église, la cage de l'aiguilleur qui fuient. L'arbre qu'Emmanuel entrevoit semble pousser lui-même ses branches tordues entre les fils électriques et un réseau de cordes à linge. Ses feuilles sont comme « à demi mortes de fatigue avant même de s'être pleinement ouvertes » (BO-405). Si c'est Emmanuel qui est indirectement décrit, c'est un Emmanuel qui déjà n'existe plus par lui-même. Cette image finale de ce drame urbain aurait-elle pu contribuer au retour des personnages royens à la campagne – à l'exception d'Alexandre Chenevert peut-être –, voire au Manitoba ? C'est à leur tour en tous cas de fuir la ville.

BIBLIOGRAPHIE

BACHELARD, Gaston ([1957] 1981), *La poétique de l'espace,* Paris, Presses universitaires de France.

BUREAU, Luc (1984), *Entre l'Éden et l'utopie. Les fondements imaginaires de l'espace québécois,* Montréal, Québec/Amérique.

DUCHET, Claude (1979), *Sociocritique,* Paris, Nathan.

GREIMAS, Algirdas Julien (1976), *Maupassant. La sémiotique du texte. Exercices pratiques,* Paris, Éditions du Seuil.

HESSE, M. G. (1985), *Gabrielle Roy par elle-même,* Montréal, Stanké.

LOTMAN, Iouri (1973), « Le problème de l'espace artistique », dans Iouri LOTMAN, *La structure du texte artistique,* Paris, Gallimard, p. 309-329.

MARCOTTE, Gilles ([1962] 1994), *Une littérature qui se fait,* Montréal, Bibliothèque québécoise.

MATORÉ, Georges (1962), *L'espace humain : l'expression de l'espace dans la vie, la pensée et l'art contemporains,* Paris, La Colombe.

RICARD, François (1975), *Gabrielle Roy,* Montréal, Fides.

ROY, Gabrielle ([1945] 1993), *Bonheur d'occasion,* Montréal. (Coll. « Boréal compact ».)

ROY, Gabrielle (1996), « Retour à Saint-Henri », dans Gabrielle ROY, *Fragiles lumières de la terre. Écrits divers 1942-1970,* Montréal, Boréal, p. 169-186.

SIROIS, Antoine (1968), *Montréal dans le roman canadien,* Montréal, Marcel Didier.

SMART, Patricia (1988), « Quand les voix de la résistance deviennent politiques : *Bonheur d'occasion* ou le réalisme au féminin », dans Patricia SMART, *Écrire dans la maison du père. L'émergence du féminin dans la tradition littéraire du Québec,* Montréal, Québec/Amérique, p. 197-233.

Zima, P. V. (1985), *Manuel de sociocritique,* Paris, Picard.

Józef Kwaterko

Université de Varsovie

SWINGUER, VALSER... :
LE CHRONOTOPE DE LA DANSE
DANS *BONHEUR D'OCCASION*

Dès le début de *Bonheur d'occasion,* sous le regard translucide de Jean Lévesque, Florentine Lacasse se trouve implacablement enfermée dans le déjà-là d'un « destin », « dans l'inquiet tourbillon de Saint-Henri, cette vie des jeunes filles fardées, pimpantes, qui lisent des romans-feuilletons de quinze-cents et se brûlent à de pauvres petits feux d'amour factice » (Roy, 1993 : 12[1]). Face à cette saisie statique qui s'enchâsse dans un scénario de bonheur manipulateur, le récit a pourtant besoin d'un second mode d'émergence du personnage. Ainsi, la « vision » de Jean (BO-12), qui est une sorte de détection univoque des signes du milieu, se voit doublée d'un regard plus oblique et plus singularisant, associant par contamination métaphorique la neige qui voltige et le désir du paraître de Florentine :

---

1. Désormais les renvois à cette œuvre seront signalés par la seule mention BO- suivie du numéro de la page.

> *Le vent était le maître qui brandissait la crava-*
> *che, et la neige, la danseuse folle et souple, qui*
> *allait devant lui, virevoltait, et, à son ordre, ve-*
> *nait se coucher par terre.* [...] « *Florentine... Flo-*
> *rentine Lacasse, moitié peuple, moitié chanson,*
> *moitié printemps, moitié misère...* » *murmurait le*
> *jeune homme. À force de regarder danser la*
> *neige sous ses yeux, il lui semblait qu'elle avait*
> *pris une forme humaine, celle même de Floren-*
> *tine, et qu'épuisée mais ne pouvant s'empêcher*
> *de tourner, de se dépenser, elle dansait là, dans*
> *la nuit, et restait prisonnière de ses évolutions.*
> « *Ces petites filles-là, se dit-il, doivent être ainsi ;*
> *elles vont, viennent et courent, aveuglées, à leur*
> *perte* » (BO-29).

L'essentiel du « projet réaliste » de *Bonheur d'occasion* semble tenir à cette mise en relation des signes et des indices, indispensable à la cohérence des structures imaginaires[2]. Mais cette trame permet également de percevoir la socialisation globale de l'espace romanesque, c'est-à-dire un espace déjà modalisé par d'autres pratiques discursives. Plus précisément, cette modalisation par l'activité textuelle est capable de révéler tant une

---

2. La scène initiale de la danse a été analysée dans cette perspective par André Brochu, dans « Thèmes et structures de *Bonheur d'occasion* » (1974 : 235-237). En outre, cette même scène a fait l'objet de développements sous un angle sociocritique dans les articles de Micheline Cambron, « La ville, la campagne, le monde : univers référentiels et récits » (1997-1998 : 33), et de Jacques Allard, « Deux scènes médianes où le discours prend corps » (1997-1998 : 63).

vision du monde globale qui gouverne un moment de l'écriture qu'une microstructure textuelle susceptible de rendre compte d'une écoute symptomale des tensions qui parcourent le corps social.

Selon cette seconde optique, la projection initiale de Florentine dans la mobilité imaginaire d'un *topos* socialisé (« l'inquiet tourbillon de Saint-Henri ») et d'une durée où s'évanouit tout déplacement (le désir fallacieux d'une délivrance) constitue une unité spatio-temporelle conflictuelle qui peut se répercuter dans l'ensemble de la configuration du temps et de l'espace dans le roman. En tant que chronotope textuel[3], cette unité va pouvoir conférer à la danse, au jeu du corps (au personnage dansant et au personnage « dansé »), une valeur de première importance. Porté par le mouvement narratif et renforcé par un système complexe de

---

3. Rappelons la définition du chronotope proposée par Mikhaïl Bakhtine : « Nous appellerons *chronotope*, ce qui se traduit, littéralement, par "temps-espace" : la corrélation essentielle des rapports spatio-temporels, telle qu'elle a été assimilée par la littérature. Ce terme est propre aux mathématiques ; il a été introduit et adapté sur la base de la théorie de la relativité d'Einstein, mais le sens spécial qu'il y a reçu nous importe peu. Nous comptons l'introduire dans l'histoire littéraire presque (mais pas absolument) comme une métaphore. Ce qui compte pour nous, c'est qu'il exprime l'indissolubilité de l'espace et du temps (celui-ci comme quatrième dimension de l'espace). Nous entendrons *chronotope* comme une catégorie littéraire de la forme et du contenu, sans toucher à son rôle dans d'autres sphères de la culture » (1978 : 238).

rapports signifiants (objets, langage, gestes, conduites, postures, vêtements), le chronotope de la
danse aura dans l'économie romanesque une fonction figurative et structurante : il s'ordonnera selon
des moments de l'élan et de la chute du personnage, il s'amalgamera à d'autres motifs spatio-
temporels, signifiés comme mondains (le « souper
en ville », le « bal », la « promenade au bord du
fleuve ») ou populaires (« une journée à la campagne », le « déménagement précipité », l'« accou-
chement à domicile », l'« errance d'une jeune fille
délaissée et enceinte »)[4]. Ajoutons que ces motifs
soulèvent la question du sens, sur un plan individuel ou historique, pour autant qu'ils permettent le
repérage des archives, c'est-à-dire des programmes
de comportement déjà sémiotisés dans la culture.

Il semble également que la danse – image et
archive, action et état – constitue dans *Bonheur
d'occasion* une de ces microstructures spatio-
temporelles essentielles à la lecture des grandes
articulations idéologiques du roman ; il semble
que, simultanément à sa capacité à représenter des
moments-lieux qui, par une série de duplications
et de correspondances, découpent un parcours
biographique, déclinent une traversée, thématisent

---

4. Pour l'étude d'autres chronotopes (de la taverne, du
chemin de fer et de la gare), voir « Montréal dans la crise
des années 30 : *Bonheur d'occasion* ou la stratégie des
chronotopes » (Frédéric, 1992 : 75-81).

une rencontre, une crise, un destin, le chronotope de la danse acquière aussi une valeur sociopoétique porteuse d'un interdiscours social avec son potentiel d'ambiguïtés et de tensions. Par conséquent, l'analyse que je propose des quatre séquences de la danse de Florentine devra tenir compte de la dualité et de l'interpénétration des valeurs chronotopiques générées par le texte. On verra ainsi comment, autour de ce que Bakhtine (1978 : 391) désigne par « concrétisation figurative » (fusionnement des données spatiales et temporelles *dans* l'œuvre, immanentes à l'univers référentiel du roman), pourront graviter et se problématiser des moments-lieux de production, d'échange et de réévaluation de sens, révélateurs des bouleversements propres à la société de référence ou, comme le dit bien Henri Mitterand, au « temps-espace de l'œuvre[5] » (1990 : 103).

Remémorons-nous les deux premiers tableaux de Florentine en train de danser. La donnée spatiale est configurée par l'intérieur de l'appartement bourgeois des Létourneau, sis Place Georges-Étienne-Cartier à Saint-Henri. Le « salon », aménagé pour l'occasion en une salle de danse, avec une « entrée », un « enfoncement de la fenêtre que

---

5. En proposant cette distinction, Henri Mitterand tend à mettre en relation le contenu thématique et symbolique du chronotope bakhtinien avec sa valeur sémiotique (médiatrice de la forme rhétorique et stylistique du récit).

garnissait une haute fougère » et un « piano », forme un espace hétérotopique, à l'extrême opposé de la salle à manger/dortoir de la rue Beaubien – espace des rapports familiaux (solidarités et ruptures) – ainsi que du bazar/restaurant, le Quinze-Cents – espace-temps isotopique et convivial, celui du travail quotidien, des contacts familiers et, surtout, de la rencontre décisive avec Jean Lévesque qui infléchira la ligne de vie de Florentine. Ces deux plans spatio-temporels, dichotomisés dans la diégèse, coexistent ici par fusionnement dans le *jeu du corps* – lorsque, invitée avec empressement par Emmanuel, la jeune fille danse sur l'air d'un swing qui passe à la radio – :

> *Elle ploya la tête en arrière et s'abandonna à lui sourire. Ce qu'elle aimait encore mieux que la danse, c'était d'être ainsi le point de mire de toute une assemblée. Autour d'eux, les invités s'étaient tus ; tous les regardaient. Et elle croyait les entendre se demander :*
>
> *« Qui est cette jeune fille ? »*
>
> *Elle imaginait la réponse avec un frémissement des épaules.*
>
> *« Oh, une petite serveuse du Quinze-Cents ! »*
>
> *Eh bien, elle leur montrerait qu'elle savait plaire à Emmanuel, et pas seulement à Emmanuel si elle le voulait, à tous les jeunes gens si elle le voulait, elle leur montrerait qui c'était donc que Florentine ! Ce sentiment de défi, joint à la rapidité de la danse, gonflait son cœur et colorait ses joues. On aurait dit que deux petites lampes s'étaient allumées dans ses yeux, – deux petites lampes dont la lueur vacillante mettait un point brûlant dans chacune de ses prunelles. Le petit*

> *collier de corail sautant à son cou, comme une*
> *chaîne légère autour de son cou fluet, et ses bras*
> *comme une chaîne autour d'Emmanuel, et sa*
> *robe de soie bruissant autour d'elle, et ses talons*
> *hauts claquant sur le plancher nu, elle était Flo-*
> *rentine, elle dansait sa vie, elle la bravait sa vie,*
> *elle la dépensait sa vie, elle la brûlait sa vie, et*
> *d'autres vies aussi brûleraient avec la sienne*
> (BO-138).

Pour saisir la mise en texte de la fonction chronotopique (et non pas strictement thématique) de la danse, ce fragment est révélateur à plusieurs égards. On remarquera tout d'abord le mouvement extrêmement contrôlé des images régi par la double subjectivation, la double focalisation et la réfraction réciproque des regards. Danse des regards, la narration est ici langage oblique, une dialectique imaginaire qui polarise des points de vue appréciatifs, met en jeu des positions évaluatives qui se croisent, qui s'ignorent et qui creusent entre le centre et la périphérie une distance sociale, celle qui sépare le groupe, « les invités de la ville » (BO-135) – étudiants, jeunes peintres, écrivains –, de Florentine, serveuse dans un *fast-food* du faubourg.

Pour que cette vision se déploie comme un langage, la danse s'exprime ici par une stylistique et une rhétorique ou, plutôt, elle *s'éprouve* simultanément comme un mode d'énonciation (le discours indirect libre, le langage de l'émotion) et une chorégraphie géométrique particulière. On le perçoit bien par le truchement optique qui opère le cadrage du corps et du vêtement en train de chavirer –

signifiés d'attitude qui traduisent l'évasion du réel dans son expression la plus immédiate, et qui, en même temps, déclinent un paraître, lexicalisent le leurre de l'ascension sociale. Ce mode d'émergence de la parole du corps est renforcé par le travail du verbe et marqué par le trajet de l'écriture : pulsation rythmique et syncopée imprimée à la phrase ; égalité d'intervalles de temps, dédoublement, alternance et inversion des unités syntaxiques ; effet d'extension anaphorique avec son jeu de sonorités.

À ce niveau de cohérence, on assiste à une sorte de *travelling,* par quoi la focalisation sur le personnage *en train de danser* retrouve sa pertinence figurative pour la construction du chronotope romanesque. Procédant par emboîtement de l'espace et du temps, le récit pointe ici un moment charnière et un « seuil », c'est-à-dire le lieu d'un défi et d'un risque assumé et nécessaire qui dramatise une existence. C'est en ce sens également que la danse, figure autant construite qu'instable et évanescente, se manifeste comme une forme piégée de la communication. S'y rejoignent l'espace physique du « salon » et l'espace-temps biographique de Florentine ; le temps de rêverie et d'inversion des apparences s'y intègre au temps pragmatique et stratégique, là où le corps et le clinquant, le « capital de séduction » (Bourbonnais, 1988 : 74) et la parure, masquent au personnage sa réelle dépossession et démasquent la vanité de ses gestes (« Elle ploya la tête en arrière et s'abandonna à lui sourire »).

Tout cela dessine une trajectoire sémantique, cristallise un *lieu d'épreuves* avec sa dialectique d'espaces et un *monde parallèle*, un état instantané d'abandon hypnotique où s'étiole la distinction entre le sens du réel et les simulacres de l'être. Dans cette durée intérieure, « le monde ordinaire » – l'identité homogène, individuelle et sociale – ne se dissout pas mais vacille (passant par un discret commentaire du « on aurait dit… »), à mesure que la hardiesse du regard, la dureté d'un « défi » apparemment sans appel, s'embrouille d'une polysémie, se multiplie dans une croissance métonymique angoissante (danser sa vie, braver sa vie, brûler sa vie) et dérape irrémédiablement vers la mort symbolique avec ses effets diégétiques immédiats :

> *C'était maintenant une valse. Il l'enlaça avec brusquerie.*
> *La musique, plus lente, plaisait moins à Florentine. Emmanuel la serrait trop fort. La main du jeune homme, moite, lui meurtrissait les doigts. Ils étaient bousculés à chaque pas par des couples maladroits. La pièce paraissait exiguë depuis que tous les jeunes gens y tournaient ensemble. Une masse bariolée piétinait sur place, se mouvant dans une direction puis dans l'autre, comme si elle ne trouvait pas d'issue. Le lustre à sept branches distribuait toujours la triste lumière des ampoules colorées, mais le groupe serré des danseurs projetait sur les murs des ombres emmêlées qui semblaient tout obscurcir. […] Ses bras et ses jambes lui faisaient mal. Il aurait fallu aller très vite, être dans le tourbillon effréné et tourner, tourner sans arrêt, pour ne pas sentir la fatigue.*

> *Autrement, la fatigue descendait dans les membres et formait un poids lourd, très lourd, qu'on traînait comme une vie enchaînée, une vie qui avait peur de ne pas être heureuse* (BO-139-140).

Remarquons toutefois combien cette dialectique d'espaces reste marquée par une volte-face de plans axiologiques, par le déplacement du savoir narratif qui régit et oriente le glissement du swing vers la valse. Ce savoir, initialement effacé en faveur d'une *poétique du corps* (le discours indirect libre et la perception sensorielle du monde), s'investit dès lors dans une *politique du corps* – opération qui instaure des discriminations nécessaires, creuse un écart et nous enferme dans un programme narratif et dans une logique de l'action avec son système de signes alternés, d'images inversées, d'issues euphoriques et déceptives, bref dans le scénario du *bonheur d'occasion,* lequel semble bien récupérer les lieux communs du roman-feuilleton populaire (Laflèche, 1977 : 111).

À ce point de la progression diégétique (la valse coïncide avec l'effondrement sentimental de Florentine qui attend en vain l'arrivée de Jean), le chronotope de la danse se thématise, se perçoit dans l'illusoire nécessité d'une motivation réaliste (la quête de reconnaissance par le milieu bourgeois) et se fige dans les contradictions d'une représentation idéologique : celle d'un corps tout tendu vers le mirage d'une ascension sociale, d'un corps qui se place et se déplace, qui jouit, souffre et se perd dans une identité malheureuse pensée en fonction de lieux, de frontières, de hiérarchies.

Or, si le swing figure un espace-temps usurpé et désigne un fantasme de l'adéquation avec un corps bourgeois et sublime (d'où l'insistance sur le mot « défi », sur le clinquant et la place accordée au conditionnel dans le premier fragment), comment comprendre alors le statut idéologique de la valse ? Pourquoi la valse, expression d'une pratique, d'un code culturel et d'une classe sociale supérieurs, renvoie-t-elle ici à l'épuisement d'un corps pauvre et « ouvrier » ainsi qu'à une position de victime ? Démasquerait-elle le paraître bourgeois et mondain de la femme du peuple qui du « salon » (du *hors-temps* et du *hors-lieu*) retourne à l'espace tapageur de la « taverne » (à une essence communautaire, à une origine socioculturelle, au *même*) ? Ou, au contraire, légitimerait-elle le paraître populaire du bourgeois dont la gestualité contrainte et ostentatoire dégrise la jeune fille (« il l'enlaça avec brusquerie », « des couples maladroits », « une masse bariolée piétinait sur place ») ? Mais que dire alors de la remarque du père d'Emmanuel qui voit dans le swing une « danse de nègres » (BO-137) et qui, en nationaliste conservateur, estime que son fils « ne tiendra pas son rang » (BO-137) ? Et si le swing ne devait pas être lu comme le paraître, au sens d'une irréalité et d'un décor auxquels on aspire, mais comme la seule réalité de l'être de Florentine, une réalité qui émane déjà d'une culture urbaine furieusement ouverte à l'argent, à la consommation, au cinéma, au jazz, aux nouvelles habitudes alimentaires et vestimentaires ?

Plusieurs données patentes autorisent cette hypothèse. Repartons donc en sens inverse et, pour mieux cerner les enjeux idéologiques de *Bonheur d'occasion,* remontons du niveau figuratif à la réalité matérielle d'un vécu, au mode d'être de la serveuse du Quinze-Cents. Dès lors, on percevra aisément autour de Florentine un dispositif de signes et d'indices qui exploite et explore de nouvelles données sociales, tout un style de vie outrageusement moderne représenté par des objets autant référentiels qu'iconiques : la robe et les bas de soie (à « deux dollars », BO-80), le bâton de rouge, le chapeau de paille (avec « une grappe de cerises rouges en verre », BO-265), le pull-over marron (qui « la moulait étroitement », BO-192), les cigarettes, le coca-cola, les hot-dogs, les phonos automatiques indifféremment appelés « juke-box », les *sundae special* (« à quinze cents », BO-16), le lexique urbain « jeune » et branché, bilingue (« C'est *swell,* hein ! », BO-81 ; « Ce n'est pas mon *steady* », BO-140 ; « Ton dernier *furlough,* comme ça ! », BO-341). Si ces objets et ces signes n'indexent pas par eux-mêmes un niveau de vie (plusieurs autres attributs matériels réfèrent à un désarroi physique et social), ils n'en attirent pas moins l'attention sur la prégnance des nouveaux modèles socioculturels, les transformations dans le climat urbain, la circulation langagière, sur tout ce qui profile et qui propulse le devenir d'une société.

Le troisième tableau de la danse apporte un éclairage particulier à cette médiatisation culturelle avec tout ce qu'elle comporte de tensions internes. Il s'agit cette fois de Florentine enceinte qui erre à la recherche de Jean, mais qui, dans un accès « immédiat » à son corps, bat des pieds au rythme d'un morceau « hot » comme pour fixer une topographie à soi :

> *Un petit restaurant lui envoya au passage un flot de jazz. Ses jambes, fauchées de fatigue, retrouvèrent un soudain élan, la portèrent vers ce seuil d'où venait une rassurante animation. Elle entra, demanda une bouteille de coca-cola, un hot dog et, aussitôt assise, seule à une table, alluma une cigarette. Presque à la première bouffée, une sensation de mollesse la gagna. Elle redescendait, elle redescendait très vite dans cette demi-nuit bruyante, échauffée, glapissante, qui avait été le climat habituel de son âme depuis déjà bien des années et hors duquel elle se reconnaissait perdue. Il lui sembla que, maintenant, elle serait contente de se retrouver même au Quinze-Cents où, du moins, l'agitation, le bruit, jamais ne ralentissaient. […] Ce qu'elle ne pardonnerait jamais à Jean, ce serait qu'elle eût ce soir rôdé comme une lépreuse, bannie du rapide courant de bruits et d'émotions qu'elle aimait tant. La musique cessa et avec elle l'impression d'être à l'abri de la solitude. Elle glissa une pièce dans le phono automatique et alors, à l'accompagnement d'un* jitter-bug *étourdissant, elle sortit son peigne, son poudrier, son rouge à lèvres, et elle se maquilla avec soin. Elle posait et reprenait sa cigarette, appliquait un peu plus de rouge à ses lèvres, un peu*

> *plus de poudre sur son front et, sous la table, ses pieds marquaient le rythme de la fiévreuse musique.* [...] *Le jazz lui remplissait la tête, et la fumée de la cigarette qu'elle retirait à peine de ses lèvres lui procurait une agréable sensation d'étourdissement. Elle passa en revue tous les colifichets qu'elle avait désirés et, s'en voyant parée, elle décida d'acheter celui-ci, de rejeter celui-là. Elle s'évertuerait tellement à mettre dans sa vie toutes les apparences du bonheur, que le bonheur y viendrait faire sa place.* [...] *Le mouvement de ses pieds sous la table au rythme du jazz trépidant l'aidait à entrevoir comme faciles tous les sacrifices qu'elle s'imposerait. De temps en temps, l'éclat de la sirène, vibrant et passionné, se prolongeait dans le faubourg. Son cœur se serrait et, un instant, elle se retrouvait au bord du canal, entrevoyant le fil gris et mélancolique de ses jours ; puis elle buvait rapidement en renversant la tête quelques gorgées de coca-cola, aspirant plusieurs bouffées de sa cigarette, secouant les épaules avec emportement* (BO-266-267).

Certes, le swing désigne ruse et illusion. Faisant écho à l'image initiale de la danse du vent et de la neige, il figure bien le personnage de danseuse capturée, jouant au *baby-doll* sur un mode angoissé et coupable. Mais ne renvoie-t-il pas à *ce qui est déjà là,* irrémédiablement présent dans le faubourg et dans la cité ? Et cela quelles que soient les « apparences du bonheur », *insert* auctoriel auquel on s'habitue au fil du récit et qui prend ici et là la relève du titre.

Si bien que tous ces facteurs d'incertitude reconfigurent le chronotope d'un « destin ouvrier ».

Ils distorsionnent en particulier le thématisme de la « misère » ainsi que le rapport strictement figuratif d'une identité canadienne-française aliénée par le *nouveau* et en perte de repères spatio-temporels. C'est ce qui se produit du moins si l'on s'en tient à l'espace du texte, à la manière dont le chronotope met en images le social et non pas au rôle qu'il joue dans la fiction, aux exigences diégétiques et idéologiques du programme narratif.

À cet égard, *Bonheur d'occasion* apparaît comme le roman d'une *traversée* et non d'un parcours, un roman qui met en scène un personnage ambigu, aux prises avec les contradictions du réel, et dont le langage, la gestualité corporelle active, porteuse de multiples marques et valeurs déjà codées ou en émergence, est une manière de lire le social. En ce sens, selon Gilles Marcotte, Florentine se donne à lire comme le personnage le plus énigmatique du roman, et aussi comme le seul personnage qui incarne le mouvement historique et qui répond véritablement à l'appel de la ville :

> *Seule, dans* Bonheur d'occasion, *Florentine entre en ville, dans la civilisation industrielle, capitaliste ; Jean Lévesque y est déjà et les autres, Rose-Anna, Azarius ou même Emmanuel ne font que la subir. Il va sans dire qu'elle paie le prix de la transformation par une perte des valeurs, on oserait dire d'humanité, dont aucun autre personnage n'est victime à ce point* (1989 : 412).

Dans cette perspective, on peut aller plus loin et se demander si l'imaginaire chronotopique de

Gabrielle Roy, tous ses écarts et ses contrastes compris – espace du dessous : la famille paysanne-ouvrière matricentrique avec une fille « libérée » ; espace du dessus : la famille bourgeoise conservatrice, patricentrique, avec un fils « progressiste » –, ne représente pas, à l'intérieur du texte, un inter-discours social où se convoquent et se problématisent réciproquement un langage mythique et un langage pratique, là où la même archive – la danse – clivée entre le swing et la valse, désigne un lieu discursif d'importance stratégique où s'autoreprésentent des manifestations discursives hors-textuelles.

En effet, si l'on veut détecter l'idéologisation proprement textuelle de ce clivage, l'étude du statut chronotopique de la danse chez Gabrielle Roy devrait tenir compte de toute une problématique sociodiscursive correspondant à l'espace-temps de l'œuvre, au moment-lieu de l'écriture de l'un des tous premiers romans québécois de l'« arrivée en ville », c'est-à-dire à la période qui va en gros de la crise de la fin des années 1920 au lendemain de la seconde guerre mondiale. Dès lors, il apparaîtra que le discours du roman, avec sa double vectorisation de péripéties, ses intersections des unités chronotopiques, son brouillage des modes d'énonciation, conjoint les discours de l'identité communautaire en circulation, discours encore fortement fondés sur le traditionalisme comme représentation globale d'une culture catholico-nationaliste, mais qui sont déjà travaillés par de nouvelles repré-

sentations associées au processus de modernisation, d'urbanisation et de sécularisation. Les travaux de Pierre Popovic montrent bien comment le
discours social du Québec des années quarante se
voit de plus en plus polarisé autour des images-
idées à valeur de *topoï* discursifs : celle de l'« individu canadien-français égaré » qui demeure attachée au paradigme historico-épique de la menace
communautaire et celle de l'« homme américain »
qui renvoie au risque, mais aussi à l'expérience
réelle de l'individu[6].

Il semble bien que la chronotopie de *Bonheur
d'occasion* médiatise de façon extraordinairement
raffinée cette topique sociodiscursive en travail

---

6. « Le modèle gnoséologique traditionnel, fondé sur
une lecture romanesque historico-épique de l'histoire et du
destin de la collectivité, ne semble plus permettre une
connaissance satisfaisante du monde. […] Le potentiel de
croyance et de vraisemblable attaché à ce modèle historico-
épique s'amenuise au cours et au lendemain de la Seconde
Guerre mondiale. Celle-ci catalyse plusieurs phénomènes
sociaux et les fait advenir à la conscience collective : l'industrialisation et l'urbanisation, les nouvelles manières
d'acheter et de consommer, l'importance des nouveaux
intervenants sociaux (les femmes notamment qui ont un
peu plus accès au marché du travail), la propagation de la
culture de masse américaine (cinéma, musique, *comic
strips*) font désormais partie intégrante du paysage social.
Leur rencontre soudaine avec les formes de légitimation
traditionnelle a la force d'un choc, dont les historiens ont
montré les retombées sur les mentalités et la vie de tous les
jours. Dans la prose des idéologues et des doxographes, ce

d'elle-même. Et, une fois encore, il ne s'agit pas tant du plan thématique avec sa charge sémantico-idéologique englobante que recèle la figuration des espaces opposés : espaces clos et ouverts, espaces communautaires et familiaux (Saint-Henri, « termitière villageoise », BO-299), espaces d'élection (la rue Sainte-Catherine), espaces désorientés (Westmount, le mont Royal, la « dompe » de la Pointe Sainte-Charles où rôdent les « quêteux »). Certes, tout ce tissu spatial multi-focalisé temporalise *hic et nunc* les enjeux culturels essentiels dus au bouleversement de la guerre, mais on dirait qu'à ce niveau d'activité figurale la composition spatio-temporelle marque de grandes frontières topographiques (des territoires culturels et sociolinguistiques) pour servir l'idéologème hors-textuel de l'aliénation et de l'égarement identitaire canadien-français, qu'elle se fige en image du Destin et fait finalement peu de place à l'interdiscursivité où se bousculent déjà des représentations nouvelles.

---

différend est perçu comme le résultat d'une modernisation de la société québécoise, modernisation qui est toujours placée en corrélation avec la découverte et la reconnaissance du caractère américain de cette société et de ceux qui la composent. D'aucuns le déplorent, d'autres l'acceptent, avec circonspection ou sérénité, mais l'unanimité se fait sur ceci : cette présence de l'Amérique est bien là, elle est "en nous" et elle pose un problème » (Popovic, 1991a : 89-90). Voir également *La contradiction du poème : poésie et discours social au Québec de 1948 à 1953* (Popovic, 1991b).

En revanche, le mode d'être social du personnage permet l'appréhension au ras du texte, dans son tissu discursif, des *effets de hors-texte*. Sur ce plan, le corps comme centre de l'identité est un lieu de valeurs latentes qui produit son lexique, ses signes, son espace. Sa gestualité comme centre de l'expérience peut se pétrifier aussi dans des stéréotypes de conduites, de postures, d'élans et d'émois, capables de projeter sur la structure énonciative du texte et autour de lui une frange de sens qui médiatise le social par le repérage de ses dysfonctionnements[7].

Le dernier tableau de la danse est encadré par un espace qui induit bien ce parcours de sens sur le plan interdiscursif. L'incipit de la scène décrit un petit restaurant de banlieue au bord du fleuve. Le discours narratif multiplie les mises en garde, les figures de fausse séduction. À l'extérieur, le décor festif et bariolé confine au mauvais goût ; le restaurant a des « allures de guinguettes » avec ses « lampes vénitiennes », sa « guirlande d'ampoules colorées », ses « affiches-réclames » (BO-339). Pourtant, Florentine s'y reconnaît avec une satisfaction spontanée : « Ça l'air fin icitte ! » (BO-340). À l'intérieur, même miroir du mensonge embellissant : tables « peintes d'un rouge vif », « naïfs desseins :

---

7. Voir de ce point de vue l'étude magistrale de Claude Duchet, « Corps et société : le réseau de mains dans *Madame Bovary* » (1975 : 217-237).

pagodes japonaises, trirèmes en marche sur une placide mer de craie, temples hindous sur un fond crasseux » (BO-340). Mais tout aussi significativement, dans ce territoire du kitsch, Florentine est bien chez elle : elle sirote son coca-cola, grignote son hot-dog, n'arrête pas de se pomponner (« elle lui faisait penser à un petit chat qui se débarbouillait », BO-342) et de demander à Emmanuel de « faire jouer le même air de jazz trépidant et syncopé » (BO-340).

Pour tester la rentabilité du chronotope dans la médiatisation du discours social, on doit déjà pouvoir discerner ici deux discours qui s'éclairent mutuellement. Au premier plan, un discours d'escorte qui se nourrit d'une axiologie dissuasive, qui fait sa substance d'images dérisoires, d'une imagologie disponible (le stéréotype de la femme-poupée américaine), de la névrose d'une « ère du vide » qui renvoie au problème du morcellement identitaire canadien-français en faisant remonter le lecteur au *leitmotiv* préconstruit de la danse moderne comme l'emprise d'une forme factice et compensatoire, c'est-à-dire à une problématique des causes et des effets (le swing et Florentine qui se berce d'illusions sont ramenés à leur environnement populaire et dégradé). D'autre part et simultanément, s'y laisse percevoir tout un discours référentiel, diffus et mis en sourdine, mais qui réfère à l'expérience urbaine, à la circulation des biens, au surgissement d'une publicité de plus en plus vorace, aux simulacres animés en réclames, aux mots publics en instance de lexicalisation – un véritable discours du passage, de la dure entrée dans la modernité, à l'espace-temps de la métropole tout entière avec ses banlieues, ses signes exotiques, inquiétants, hétérogènes, polyglottes.

Cette cohabitation conflictuelle des discours ne prend effet, sens et valeur qu'en fonction de la sémantisation de la danse, phénomène d'intratextualité porté par le rythme chronotopique du roman qui, jusqu'à sa fin, viendra compliquer les rapports entre texte et hors-texte :

> *Il alla au phono et choisit un morceau qui lui plaisait particulièrement. C'était* Bitter Sweet, *un air qui exprimait pour lui en ce moment l'amertume et la douceur de leur réunion. Florentine ne reconnut pas la chanson tout de suite.* […] *Puis elle se raidit.* I'll see you again… *La phrase sentimentale s'enfonçait dans son cœur. Le bâton de rouge glissa sur sa joue. Elle se revoyait à l'entrée du cinéma, la nuit où avait commencé sa descente vers l'inconnu, la nuit où déjà elle était perdue.*
>
> *Emmanuel l'enlaça doucement.*
>
> *— Dansons, dit-il.*
>
> *Toute la journée, il avait espéré la tenir ainsi quelques instants entre ses bras au rythme d'une valse et recevoir contre lui la chaude impression du corps menu et souple.*
>
> *Elle fit quelques tours avec lui sans voir où elle allait, les yeux fixes, ne comprenant pas ce qu'elle faisait.* […] I'll see you again… *Le refrain nostalgique réveillait en elle un morne ennui. C'était laid, laid, au fond de ses pensées. Ni attente, ni*

joie. [...] Personne n'était venu vers elle, ce soir-là, à travers la tempête. Ni jamais d'ailleurs, personne n'était venu vers elle.

— Tu ne me suis pas, reprocha Emmanuel gentiment.

Et il se mit à chantonner dans son oreille : I'll see you again...

Elle tournait avec lui, trébuchant, raidie, essayant d'approfondir ces mots bizarres, venus de loin, ces mots de mensonge, et que maintenant Emmanuel lui répétait. Elle apercevait quelqu'un qui devait être elle, assise toute seule dans la salle de spectacle et qui pour se calmer, se réconforter, essayait de se persuader que Jean avait été empêché de venir vers elle. Était-ce possible qu'elle eût été si naïve, si sotte, si enfant ! Et, brusquement, elle éprouva le désir de se venger de Jean sur Emmanuel (BO-342-343).

Bitter Sweet[8], « bonheur d'occasion » : cette image d'une Florentine titubante et mise en demeure de valser projette le personnage dans un espace-temps homogène, celui de la stabilité et de l'ordre. Vue dans ce cadre, Florentine commettrait ce que Marcotte appelle « le péché de Québec », c'est-à-dire une « accession aux valeurs figées, frileuses, de la petite bourgeoisie nationaliste »

---

8. *Bitter Sweet* est le film que Florentine est allé voir après le rendez-vous manqué avec Jean. Porté à l'écran par William F. Van Dyke II en 1940, d'après une opérette de 1929, il raconte l'amour d'un violoniste pour une danseuse, dans un décor de Vienne au XIXe siècle. La chanson est une valse composée pour ce film par Noel Coward.

(1989 : 412). Qui plus est, le discours de la faute et de la vengeance, le sentiment de l'emprise d'une forme interposée entre le moi et son corps, vont pouvoir se résorber à la fin du roman dans une utopie douce et positive de l'accomplissement de soi : « D'ailleurs [pour Florentine], il n'y avait pas de péché, pas de faute, pas de passé : tout cela était fini. Il n'y avait plus que l'avenir » (BO-403). Du point de vue de son choix conformiste, Florentine se trouve reliée à un système de récit, à une logique narrative et figurative où les personnages sont répartis selon les plans des fonctions et des rapports axiologiques qui n'échappent pas aux idéologies de l'époque : désarroi physique et moral (Rose-Anna), fatalisme économique (Azarius), réussite et ascension sociale (Jean), adhésion aux valeurs libérales (Emmanuel).

Mais dans cette linéarité des choses humaines, la chronotopicité discordante du swing et de la valse, leur improbable trait d'union introduisent un discours de la distance, lequel sur un mode retors s'ouvre à l'ironie, car cette problématique rencontre des corps, vue dans le tissage interdiscursif du texte, possède une teneur indicielle. Elle donne le moyen d'identifier des contradictions qui, sans être antithétiques, travaillent le discours social québécois de l'heure. Agissant comme un précipité de ces discours et comme une donnée historico-événementielle implicite, le chronotope de la danse médiatise dans le texte du roman – fût-ce par intervalles et au travers des réseaux de connotations, des différences d'intensité – un discours consensuel et l'appréhende dans ses dérapages : discours où le mot « progrès », la nécessité d'aller de l'avant, renvoie au maintien de formes traditionnelles, et où l'agitation moderne dit circularité, une vitesse molle qui n'ouvre pas à l'ère de la grande fugue.

En ce sens, le langage du corps dans *Bonheur d'occasion* acquiert, par épiphrases et dans sa singularité chronotopique, une épaisseur sociale ; il communique de l'« information » en introduisant du « jeu », donc une liberté fictionnelle qui exerce un relatif arrachement aux ressources dramatiques de l'inéluctable ainsi qu'aux pratiques discursives qui laissent leur empreinte sur le corps du texte. C'est, vraisemblablement, en face de cette esthétique des possibles que Florentine Lacasse apparaît comme le personnage le plus polyvalent, le plus artistiquement « achevé » parmi la société textuelle, traduisant la sensibilité de Gabrielle Roy à l'organisation formelle de son roman.

BIBLIOGRAPHIE

ALLARD, Jacques (1997-1998), « Deux scènes médianes où le discours prend corps », *Études françaises, « Le Survenant* et *Bonheur d'occasion.* Rencontre de deux mondes »*, vol. 33, n° 3, p. 53-65.

BAKHTINE, Mikhaïl (1978), « Formes du temps et du chronotope dans le roman », dans Mikhaïl BAKHTINE, *Esthétique et théorie du roman,* Paris, Gallimard, p. 235-398.

BOURBONNAIS, Nicole (1988), « Gabrielle Roy : la représentation du corps féminin », *Voix et images,* vol. XIV, n° 40 (automne), p. 72-89.

BROCHU, André (1974), « Thèmes et structures de *Bonheur d'occasion* », dans André BROCHU, *L'instance critique, 1961-1973,* Montréal, Leméac, p. 206-246.

CAMBRON, Micheline (1997-1998), « La ville, la campagne, le monde : univers référentiels et récits », *Études françaises, « Le Survenant* et *Bonheur d'occasion.* Rencontre de deux mondes »*, vol. 33, n° 3 (hiver), p. 23-35.

DUCHET, Claude (1975), « Corps et société : le réseau de mains dans *Madame Bovary* », dans Graham FALCONER et Henri MITTERAND (dir.), *La lecture sociocritique du texte romanesque,* Toronto, S. Stevens, Hackert and Co., p. 217-237.

FRÉDÉRIC, Madeleine (1992), « Montréal dans la crise des années 30 : *Bonheur d'occasion* ou la stratégie des chronotopes », dans Madeleine FRÉDÉRIC (dir.), *Montréal, mégapole littéraire,* Bruxelles, Centre d'études canadiennes, Université Libre de Bruxelles, p. 75-81.

LAFLÈCHE, Guy (1977), « Les Bonheurs d'occasion du roman québécois », *Voix et images,* vol. III, n° 1 (septembre), p. 96-115.

MARCOTTE, Gilles (1989), « *Bonheur d'occasion* et le "grand réalisme" », *Voix et images,* vol. XIV, n° 3 (42) (printemps), p. 408-413.

MITTERAND, Henri (1990), « Chronotopies romanesques : *Germinal* », *Poétique,* n° 81, p. 89-104.

POPOVIC, Pierre (1991a), « Retours d'Amérique », *Études françaises,* vol. 27, n° 1 (printemps), p. 87-102.

POPOVIC, Pierre (1991b), *La contradiction du poème : poésie et discours social au Québec de 1948 à 1953,* Montréal, Éditions Balzac. (Coll. « L'Univers des discours ».)

ROY, Gabrielle (1993), *Bonheur d'occasion,* Montréal, Boréal. (Coll. « Boréal compact ».)

Christiane Kègle

CRELIQ, Université Laval

DÉFAILLANCE SYMBOLIQUE ET SAVOIR DE L'ÉCRIVAIN LECTURE SÉMIO-PSYCHANALYTIQUE DE *BONHEUR D'OCCASION*

Les recherches des sémioticiens ont permis d'établir que le texte narratif, de l'état initial à l'état final, subit un certain nombre de transformations, et que la clôture du récit coïncide généralement avec l'inversion des contenus. Forte de ces postulats, et en me plaçant au-delà de la visée anthropomorphique proposée par *Bonheur d'occasion,* de Gabrielle Roy, j'essaierai de dégager la logique immanente de ce roman en m'intéressant à la syntaxe narrative du niveau superficiel et du niveau profond dont le carré sémiotique permet la synthèse. Pour ce faire, j'ai divisé les états initial et final du roman en deux parcours distincts, afin de mieux faire ressortir les deux principaux axes de ce récit qui évolue autour d'une quête du bonheur, plus précisément d'une quête amoureuse. Représentée au niveau de surface par la figure de Florentine

Lacasse, une telle quête se trouve déjà indexée sémantiquement par l'incipit[1].

Sans nécessairement anticiper sur les conclusions de mon analyse, je peux d'ores et déjà affirmer que les structures narratives de surface établissent une distinction fondamentale entre l'univers des femmes et l'univers des hommes. Une analyse sociocritique orientée vers la typologie des lieux ferait d'ailleurs ressortir une telle division entre les sexes. En effet, le restaurant Quinze-Cents, la maison de la rue Beaudoin, les nombreux logis à louer du quartier Saint-Henri constituent, d'une part, autant de lieux autour desquels se partagent deux générations de femmes marquées par un univers socio-économique défavorisé (troisième génération : celle de Florentine ; deuxième génération : celle de Rose-Anna). D'autre part, le restaurant de la mère Philibert, le casse-croûte de Sam Latour (les Deux Records), la gare et les rues de Saint-Henri infèrent d'autres lieux signifiants, investis par deux générations d'hommes : ceux qui se sont vus appauvris par la crise économique et qui ont perdu leur métier en même temps que leur raison d'être (troisième génération : Azarius Lacasse et le petit vendeur dérisoire du café Latour ; deuxième génération : celle des fils (Eugène Lacasse, Emmanuel

---

1. Voir l'article de Pierre Popovic, « Le différend des cultures et des savoirs dans l'incipit de *Bonheur d'occasion* », dans le présent ouvrage (p. 15-61).

Létourneau, Jean Lévesque, Boisvert, Alphonse et Pitou), aux prises elle aussi avec un chômage endémique[2]).

En m'appuyant sur les données de l'état initial et de l'état final du roman, j'examine les parcours des figures féminines et masculines de l'univers narratif de *Bonheur d'occasion* en interrogeant les défaillances de l'ordre symbolique telles qu'elles se donnent à lire sur le plan de la manifestation du contenu et au niveau profond. Mon analyse se réclame des avancées de la sémiotique de l'École de Paris, sans perdre de vue le substrat conceptuel lacanien, le texte de *Bonheur d'occasion* étant considéré dans son immanence. J'étaie mon analyse sur certaines figures dont l'itinéraire romanesque indexe en creux l'arbitraire du fonctionnement social, pour m'attarder ensuite aux représentations de la figure paternelle dans le roman.

DU NIVEAU SUPERFICIEL
AU NIVEAU PROFOND

Je pose d'entrée de jeu deux temps dans le déroulement de l'état initial, /A/ et /B/, auxquels correspondent, dans l'état final, les inversions de contenu, /non-A/ et /non-B/ :

---

2. Voir l'article d'Hilligje van't Land, « Analyse sociosémiotique des espaces romanesques dans *Bonheur d'occasion* », dans le présent ouvrage (p. 101-138).

État initial	T	État final
/A/	⟶	/non-A/
/B/	⟶	/non-B/

T : transformation
/A/ — /non-A/ : parcours de Florentine Lacasse et de Jean Lévesque
/B/ — /non-B/ : parcours de Florentine Lacasse et d'Emmanuel Létourneau

Pour les besoins de l'analyse, je résume succinctement les états initial et final de *Bonheur d'occasion*.

État initial
/A/ Florentine Lacasse rencontre Jean Lévesque au restaurant Quinze-Cents où elle travaille comme serveuse.
/B/ Alors qu'elle sert des clients du Quinze-Cents, Florentine voit passer un détachement de nouvelles recrues.

État final
/non-A/ À la sortie de la gare Bonaventure où elle vient de quitter Emmanuel Létourneau, Florentine aperçoit Jean Lévesque sans que celui-ci ne la reconnaisse.
/non-B/ Des soldats partent pour la guerre en Europe, dont Azarius Lacasse et Emmanuel Létourneau. Un avenir meilleur se dessine pour les femmes, alors que Florentine se propose de faire croire à Emmanuel qu'il est le père de l'enfant qu'elle porte.

Je rappelle quelques balises dans la perspective strictement linéaire du roman :

• au chapitre premier, l'amorce d'une intrigue amoureuse entre Jean Lévesque et Florentine Lacasse est proposée au lecteur. Une tensivité phori-

que caractérise la relation entre les deux personnages, tensivité que je situe, eu égard à la théorie
psychanalytique, dans le cadre de la relation spéculaire au semblable, en deçà de la médiatisation
imposée par l'entrée du sujet dans le symbolique ;

• au chapitre VIII, un mouvement de transition se prépare dans la conduite de l'intrigue
amoureuse (Florentine Lacasse *vs* Jean Lévesque)
par l'apparition de la figure d'Emmanuel Létourneau. Ce dernier invite Florentine à une soirée, à
la maison de ses parents, sise dans un quartier
mieux nanti de Saint-Henri. Florentine ne se résout
à y aller que dans l'espoir de revoir Jean Lévesque.
L'imaginaire de la quête amoureuse trace alors les
contours d'un fantasme mettant en scène une
femme et deux hommes, triangle imaginaire qui
sera maintenu jusqu'à la fin du roman ;

• le chapitre X est consacré à la soirée chez les
Létourneau où la figure de Jean, qui brille par son
absence, n'en continue pas moins de hanter l'imagination de Florentine ;

• au chapitre XI, une intrigue débute entre
Emmanuel Létourneau et la principale figure féminine du roman. Engagé dans l'armée, Emmanuel
annonce son départ imminent pour la guerre ;

• au chapitre XIV, Florentine va relancer Jean
à la sortie de son travail. Elle l'invite chez elle, le
lendemain, un dimanche (alors que les Lacasse
seront partis à la campagne) ;

• au chapitre XVI, Jean est en compagnie de
Florentine, rue Beaudoin. La visite se termine par

une irritation exacerbée chez le personnage masculin et un désir très prégnant de fuir l'univers incarné par la figure de Florentine ;

• au chapitre XVII, Jean Lévesque éprouve de l'irritation, voire de la haine. Fuir Saint-Henri à n'importe quel prix, telle est sa résolution. Le personnage ne réapparaît plus jusqu'à la finale du roman. Emmanuel remplace Jean dans la vie de Florentine.

Remarquons que nous en sommes alors au milieu du roman (à la page 192). Le départ de Jean doit par conséquent être considéré comme un point important dans la structure narrative. Sa décision de quitter Saint-Henri constitue la clé de voûte du roman, ce qui m'amène à poser comme inversement proportionnelles les trajectoires des deux figures masculines – Jean Lévesque, Emmanuel Létourneau –, qu'elles soient considérées en regard de la quête amoureuse de Florentine ou selon le contexte socio-économique décrit dans le cadre du roman.

Un premier carré sémiotique permet de mieux illustrer l'organisation des catégories classématiques qui se dégagent à ce point de l'analyse : /légitimité/ et /illégitimité/, sur l'axe de la génération ; /richesse/ et /pauvreté/, sur l'axe de la socialité.

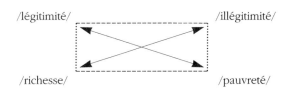

Génération

/légitimité/ /illégitimité/

/richesse/ /pauvreté/

Socialité

------------- : relation entre contraires
◄──────► : relation entre contradictoires
.... : relation d'implication

Des explications s'imposent. Du point de vue de l'état final /non-A/ et /non-B/ (Roy, 1967 : 342-345[3]), la polarité instituée entre les deux figures de Jean Lévesque et d'Emmanuel Létourneau semble se résoudre pour Florentine Lacasse en un renoncement à l'amant, doublé d'une résignation au désir de l'époux. La narration marque positivement le personnage de Florentine sur l'axe de la socialité (son mariage avec un soldat mobilisé lui donne droit à une pension de l'armée canadienne), et sur l'axe de la génération (l'enfant qu'elle porte pourra passer de l'illégitimité à la légitimité). La figure de Florentine apparaît donc gagnante à la fin du roman : en renonçant à Jean, elle acquiert l'estime de soi qui lui faisait défaut et rompt avec

---

3. Désormais les renvois à cette œuvre seront signalés par la seule mention BO- suivie du numéro de la page.

le poids de l'hérédité ; en devenant l'épouse d'Emmanuel, elle échappe à la pauvreté endémique qui l'accable ainsi que sa famille.

PRÉVALENCE DE L'IMAGINAIRE ET SYMBOLIQUE DÉFAILLANT

J'ai déjà avancé que la tensivité des rapports amoureux se situe dans la relation spéculaire au semblable, selon les repères lacaniens du schéma L (Lacan, 1966a : 33) : la tensivité phorique telle qu'investie par les composantes sémantiques demeure rivée à une ambivalence narcissique. Il devient dès lors possible de mieux situer les liens imaginaires qui nouent le personnage de Florentine aux deux autres figures du triangle, selon une relation hypotaxique de catégories classématiques : /ambivalence/ *vs* /indifférence/, /amour/ *vs* /haine/, /non-amour/ *vs* /non-haine/, comme le montre le schéma suivant dans sa forme canonique :

Ambivalence

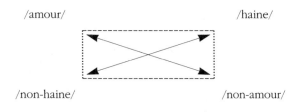

/amour/   /haine/

/non-haine/   /non-amour/

Indifférence

Les composantes narratives et discursives font apparaître deux deixis, celles que je nommerai deixis de Jean Lévesque et deixis d'Emmanuel Létourneau. Chacune de ces deixis intègre des programmes narratifs en relation d'implication réciproque ($\leftrightarrow$) et des programmes narratifs en relation de présupposition unilatérale ($\leftarrow$), ce que je transcris schématiquement de la manière suivante :

Deixis de Jean Lévesque (*vs* Florentine Lacasse)
elle l'aime $\leftrightarrow$ elle le déteste
(x) $\leftarrow$ elle renonce à son amour(-haine) pour lui

Deixis d'Emmanuel Létourneau (*vs* Florentine Lacasse)
elle ne l'aime pas $\leftrightarrow$ elle ne le déteste pas
(y) $\leftarrow$ elle se laisse aimer de lui

Si les deux relations d'implication réciproque ont pour effet de maintenir, en structure profonde, la tensivité phorique /amour/ *vs* /haine/ et /non-amour/ *vs* /non-haine/ jusqu'à la finale du roman sans jamais la résoudre, les relations de présupposition unilatérale font intervenir, pour leur part, des composantes que la narration avait laissées en plan jusqu'aux toutes dernières pages. De tels effets de sens méritent que l'on s'y arrête, d'autant plus que les composantes sociologiques de *Bonheur d'occasion* ont pu contribuer à les occulter.

En effet, l'état final du roman laisse en sursis la double question de la paternité et de l'éthique. Rappelons que la résolution arrêtée par Florentine, après le départ d'Emmanuel, consiste en un subterfuge : faire croire à ce dernier, lors de son retour, qu'il est le père de l'enfant qu'elle porte.

> *Le retour d'Emmanuel auquel elle n'avait jamais songé sans effroi parut maintenant tout naturel. Sa voie était nette, claire. Elle s'en allait vers l'avenir, sans grande joie, mais sans détresse. Le calme qui l'enveloppait était aussi bienfaisant, après le bouleversement des derniers mois, qu'un banc au soleil à qui a marché des nuits et des nuits. [...] Et elle n'en revenait pas de constater qu'il n'y avait presque plus de fiel dans son cœur. Et, graduellement, elle en vint à penser à son enfant, et sans profond ressentiment.* Il lui sembla qu'il n'était plus de Jean mais d'elle et d'Emmanuel. *Elle ne l'aimait pas encore, cet enfant qui la ferait souffrir, sans doute ne l'aimerait-elle jamais, elle le redoutait même encore, mais elle s'habituerait peu à peu à le détacher de son péché à elle, de sa grave erreur. Emmanuel prendrait soin d'eux. Emmanuel... avec lui, elle en convint, elle était mieux mariée qu'elle ne l'aurait été avec Jean*[4] (BO-343).

Sur le plan de la sanction, mettant à contribution la composante véridictoire, sur l'axe de la manipulation cognitive et pragmatique, l'Imaginaire fictif de la figure féminine instaure le personnage d'Emmanuel comme sujet de faire d'un programme de performance. De son rôle de père

---

4. C'est moi qui souligne.

(adoptif) par devers lui et de son statut de soldat de l'armée canadienne dépendent désormais le « bonheur » ou, mieux, l'absence de malheur, dans les nouvelles perspectives d'avenir qui se dessinent pour la jeune femme. Toutefois, le modèle anthropomorphique de la passion ainsi délimité par la narration assigne à la question de la paternité fictive un cadre imaginaire qui n'a de cesse de réécrire le roman familial du névrosé, tel que le développa Freud dans un autre contexte (Freud, 1973).

Sur le plan de la sanction, le non-dit du personnage eu égard à l'enfant à naître installe le père réel et le père imaginaire dans un axe sémantique traversé par les modalités véridictoires de l'/être/ et du /paraître/. Aussi, selon la visée prospective ouverte par la finale du roman, peut-on affirmer que dans l'Imaginaire fictif de la figure maternelle (Florentine) le personnage de Jean Lévesque *est* le père mais *ne paraît pas* l'être (registre du secret), alors qu'Emmanuel Létourneau *paraît* être le père, mais *ne l'est pas* (ordre du mensonge). Ce dont rend compte la forme canonique du carré sémiotique :

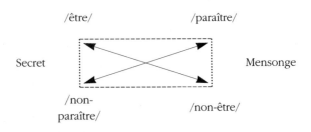

Les catégories classématiques du /secret/ (il est ce qu'il ne paraît pas) et du /mensonge/ (il paraît ce qu'il n'est pas) assignent une orientation nouvelle aux composantes narratives du roman, instituant le lecteur implicite dans une position de complicité au simulacre d'un désir maternel. En effet, en insistant sur les gains matériel (argent) et narcissique (estime de soi) réalisés par la figure de Florentine (et celle de Rose-Anna), le roman évacue la double question de « l'éthique du bien dire » et de la nécessité pour tout être parlant de devoir en passer par le signifiant du désir de l'Autre. La faille modale instituée entre le /vouloir faire croire/ (à l'un qu'il est le père) et le /ne pas devoir dire/ la vérité (à l'autre) détermine un parcours passionnel qui a pour effet d'évacuer la question du Phallus, soit le signifiant de l'ordre symbolique rendant possibles les conditions de la coexistence sociale tout en assignant au sujet la place qui lui revient dans le défilé des signifiants.

Ainsi se donne à lire le point de capiton du roman qui, de son effet rétroactif, m'incite à interroger à rebours les investissements sémantiques du Nom-du-Père dans *Bonheur d'occasion*.

Une remarque s'impose relativement au parallélisme institué entre les parcours d'Azarius et de Florentine Lacasse. Que les deux sujets passionnels – le père et sa fille – suivent un trajet identique quant aux catégories classématiques /humiliation/ *vs* /estime de soi/, /pauvreté/ *vs* /richesse/ n'est pas pour surprendre : la fille n'apparaît-elle pas dans le simulacre du désir de la mère comme celle qui assume la place du père ? Le fruit de son travail ne sert-il pas à nourrir sa famille, à payer le logis ? Florentine n'est-elle pas valorisée par la mère en tant que modèle de vertu et de courage aux yeux d'un père défaillant ? Réduit au chômage, puis à l'assistance publique, le personnage du père est présenté tantôt comme un beau parleur (voir le discours de Sam Latour), tantôt comme un « jongleur » irréaliste (voir le discours de Rose-Anna), qui ne sait pas assumer ses responsabilités financières et familiales et dont le rôle semble réduit à celui de géniteur (comme le donne à penser le parcours narratif en mettant l'accent sur les grossesses répétitives de Rose-Anna, qui accouche d'un douzième enfant). D'où le schéma suivant :

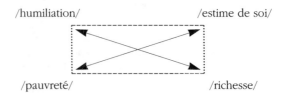

Un autre constat concerne l'univers des femmes. En marge du parcours passionnel des figures du père et de la fille, la fiction intègre dans une relation spéculaire l'univers des femmes de Saint-Henri, marquées par la crise économique des années d'avant-guerre. Le rituel annuel de la recherche d'un logis, le manque de nourriture, de vêtements et de médicaments sont autant d'éléments qui, à partir du macrocosme de Rose-Anna, contribuent à créer un effet de réel qui englobe toute une sphère sociale. Oscillant entre les pôles positif et négatif de la catégorie de la phorie, entre un passé valorisé et un présent accablant, les composantes narratives intègrent de façon insistante une jouissance qui ne cesse pas de ne pas s'écrire dans la lettre du corps. Corps lourd de Rose-Anna marqué par tant de grossesses, jouissance maternelle que rien ne vient arraisonner : ni dessein éducatif, ni intention sociale, ni projet d'avenir. Les petits êtres faméliques issus de son mariage ne sont-ils pas voués à la misère, à la maladie et à la mort ?

Relatif à l'univers masculin représenté par différentes figures dans le roman, le contexte historique de la fiction ouvre deux possibilités pour sortir de l'impasse sociale et familiale : la conscription et l'industrie de la guerre. La première ne saurait proposer pour tout horizon d'attente que le spectacle navrant des champs de bataille et des morts à répétition, choix de la majorité des figures masculines (Eugène, Azarius, Emmanuel, Alphonse, Pitou) ; la seconde débouche sur une position perverse, par l'anticipation de profits financiers dont elle fait la promotion (Jean Lévesque et Boisvert).

Au-delà des considérations sociologiques que véhicule le roman, une interrogation se dessine donc quant à l'arbitraire des conditions d'existence et l'Infondé du symbolique[5]. Un tel questionnement, essentiel en regard de l'éthique du sujet, nous est proposé par l'intermédiaire du personnage d'Emmanuel. Celui-là même qui est leurré quant à la question de la paternité, et qui, à son

---

5. Par référence au concept défini par le psychanalyste Willy Apollon : « absence de fondement de la Loi du Symbolique », en vertu de laquelle le sujet de la psychose construit une suppléance là où le sujet de la névrose convie « la fonction d'autorité socioculturelle représentée dans la fonction paternelle » (Apollon, 1990a : 17). Voir aussi « Psychanalyse et traitement des psychotiques » (Apollon, 1990b : 79).

insu, se voit promu dans le simulacre du désir de la mère au statut de père imaginaire (Chemama, 1993 : 199-201), n'en est pas moins chargé d'assumer dans la fiction l'épreuve de l'arbitraire des lois sociales et des choix politiques :

> *Non, il ne lui suffisait plus de connaître son motif personnel* [de partir à la guerre], *il lui fallait aussi connaître la vérité fondamentale qui les guidait tous, la vérité première qui avait peut-être guidé les soldats de la dernière grande guerre, sans quoi leur départ n'avait point de sens, sans quoi c'était une répétition monstrueuse de la même erreur* (BO-338).

Même si une piètre réponse est donnée à Emmanuel par une passante, une vieille dame qui lui souffle à l'oreille : « Ça finira. Un jour, ça finira. Un jour, ça prendra fin » (BO-340), son destin ne s'en trouve pas moins soumis aux dérisoires motifs sur lesquels reposent les catastrophes mondiales. Ce que le narrateur formule à la manière d'un raisonnement tautologique : « C'était donc cet espoir diffus, incompris de la plupart des hommes, qui soulevait encore l'humanité : détruire la guerre » (BO-341).

Et comme pour mieux accentuer l'absence de fondements des conditions d'existence, le roman joue sur une alternance sémantique en décrivant les femmes, esseulées par la guerre, riches de biens matériels, mais pauvres de cœur ; à l'inverse, les hommes, partis pour les tranchées, se retrouvent riches de cœur, mais pauvres de biens. Aussi, le titre du roman trouve-t-il sa justification dernière dans l'indécidabilité de la catégorie de la phorie : on pourrait en circonscrire la portée en posant que, du côté des femmes, le parcours passionnel consiste à /pouvoir/ se payer des objets de consommation (des petits *bonheurs d'occasion*) au prix d'un très grand malheur (la guerre), et la privation concomitante du véritable sens de l'existence (/ne pas pouvoir/ jouir de la vie).

Mais il y a plus. Le roman fait surgir dans l'énoncé narratif le Réel de la jouissance des hommes (les morts à répétition), jouissance non arraisonnée par l'ordre du signifiant, présentée parallèlement à l'imaginaire de la jouissance maternelle, non partitionnée par la castration symbolique. En voici la synthèse :

Phorie

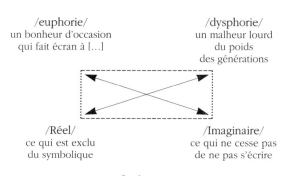

/euphorie/
un bonheur d'occasion
qui fait écran à [...]

/dysphorie/
un malheur lourd
du poids
des générations

/Réel/
ce qui est exclu
du symbolique

/Imaginaire/
ce qui ne cesse pas
de ne pas s'écrire

Jouissance

Jouissance des hommes,
non arraisonnée
par l'ordre du signifiant

Jouissance maternelle,
non partitionnée par la
castration symbolique

Ce qui m'amène à interroger l'investissement sémantique de deux figures paternelles : celle de Monsieur Létourneau, le père d'Emmanuel, que je mettrai sous le signifiant de la cassure ; celle du père de Jean Lévesque, associée à une fêlure de l'âme. Le narrateur n'accorde pas beaucoup d'importance à Monsieur Létourneau : une demi-page tout au plus. Soit pour cause de retenue, soit pour cause de censure dans la narration, le personnage fait l'objet d'une présentation sur le mode de l'ironie. Alors que le portrait physique en fait l'exacte reproduction du grand-père décédé, en mettant en abyme l'attitude figée de l'un et de l'autre, la fonction sociale du personnage est portée au ridicule par un procédé de chosification des symboles du pouvoir religieux :

> Marchand d'objets de piété, d'ornements et de vin eucharistique, il avait au service de prélats et de curés de province acquis une onction de la parole, une lenteur de débit et des gestes amples, bénins, mesurés, comme s'il soulevait à chaque mouvement des bras une lourde étoffe précieuse. On disait que pour mieux tenter les jeunes curés attirés dans son magasin, il revêtait soit une chasuble éblouissante, soit un surplis de dentelle, et paradait devant son comptoir, sachant de mille manières faire ressortir la beauté du tissu au jour discret qui tombait entre les statues, les Christ en plâtre, les chapelets en grappes scintillantes, et qui baignait la boutique d'une lueur de sacristie (BO-114).

Inscrivant discrètement dans *Bonheur d'occasion* un anticléricalisme d'époque que d'autres écrivains ont su exploiter avec virtuosité, digne des passages les plus suaves des écrits flaubertiens, cet extrait relatif à l'une des figures de la paternité indexe en creux tout un contexte social et religieux bien connu des praticiens des lettres québécoises. Je ne pourrai m'y attarder longuement. Qu'il me suffise d'analyser brièvement l'effet de sens produit en regard de la figure d'autorité ici campée. Ridicule de situation (« Marchand d'objets de piété, d'ornements et de vin eucharistique »), personnage ampoulé et affecté (« il avait […] acquis une onction de la parole, une lenteur de débit et des gestes amples, bénins, mesurés, comme s'il soulevait à chaque mouvement des bras une lourde étoffe précieuse »), velléités de séduction (« On disait que pour mieux tenter les jeunes curés attirés dans son magasin, il revêtait soit une chasuble éblouissante, soit un surplis de dentelle »), parade sexuelle (« il revêtait soit une chasuble éblouissante, soit un surplis de dentelle, et paradait devant son comptoir ») : autant de signifiants que l'on pourrait extraire du passage cité ci-dessus. Il n'est pas étonnant, dès lors, que le narrateur, cherchant à préciser les rapports d'Emmanuel Létourneau à la figure du père, se contente d'indiquer qu'ils « se montraient corrects, polis, sans amitié » (BO-114). Le lecteur connaît la suite événementielle : supportant mal l'influence de son père, Emmanuel ne termine pas ses études et s'engage sur un coup de tête comme fileur à la cotonnerie de la rue Saint-Ambroise. Devenu contrôleur d'atelier, il acquiert un réel prestige auprès des chômeurs du quartier Saint-Henri. Mais cela ne suffit pas à combler le vide laissé par l'absence de la métaphore paternelle ; d'où la quête d'une suppléance dans l'armée canadienne.

Dans la cassure psychologique instituée entre la deuxième génération (celle du père) et la troisième (celle du fils), vient se loger le personnage de Florentine, figure elle-même marquée par une fracture sociale dont le père ne se remet vraisemblablement pas (le signifiant « Lacasse »). Il reste au lecteur à imaginer le destin de l'enfant de la quatrième génération dont l'évocation clôt le roman, enfant du mensonge et du secret, assujetti au simulacre d'un désir maternel ambivalent (dans l'ordre de la fiction).

Le personnage du père de Jean Lévesque apparaît plus complexe. Son évocation fictive correspond au moment où, transgressant un interdit, Jean se retrouve dans la maison de la rue Beaudoin, seul avec Florentine. Sur le mode de la mémoire involontaire, alors qu'une Pietà prend le relais des madeleines proustiennes, le narrateur fait ressurgir pour le lecteur implicite le passé de Jean, désigné selon le versant négatif de la catégorie de la phorie : enfance malheureuse à l'orphelinat, adolescence tourmentée, vicissitudes de la vie adulte, traits de caractères dominants proposés selon une logique causale. C'est par l'intermédiaire de la focalisation interne que le lecteur apprend que les parents de Jean sont morts dans un acci-

dent de voiture. Les seuls signifiants ayant été transmis à Jean à leur sujet proviennent des parents
adoptifs :

> *Des mots échangés la nuit, alors qu'on le croyait
> endormi, jaillissaient dans sa mémoire, précis et
> cruels : « Ça me surprend pas, qu'est-ce que tu
> veux ? Un enfant trouvé ! »* — *« Non, quand
> même, il avait ses parents ; tu sais, ces pauvres
> petites gens qui sont morts dans un accident. »*
> — *« Oui, si tu veux, mais on ne sait vraiment pas
> à quoi s'en tenir »* (BO-180).

Souvenons-nous que, pris au piège d'un simulacre
de désir féminin, la réaction de Jean Lévesque
consiste à fuir Saint-Henri. Son irritation est proposée comme la seule issue logique au spectacle
de la pauvreté, soit l'insupportable pour ce
personnage fictif. Tirer profit de l'industrie de
guerre, telle sera la position perverse du personnage, dans les limites du cadre spatio-temporel de
la fiction narrative et que l'on pourrait traduire par
cette phrase : puisque rien n'est fondé, envisa-
geons la situation à notre seul avantage.

Pourtant, à y regarder de près, une autre
logique surgit, qu'il convient de lire dans les rémi-
niscences de la figure de Jean Lévesque concer-
nant la figure de la mère adoptive : avoir un fils en
lieu et place d'une petite fille menacée par la
maladie, puis ravie par la mort. Prendre la place
d'une morte, tel apparaît le destin de l'enfant Jean
dans le simulacre du fantasme de la mère substi-
tutive. Il n'est pas étonnant, dès lors, qu'à partir

d'une position aussi intenable sur le plan imaginaire, la traversée de la castration symbolique s'avère problématique pour ce personnage.

*
*   *

Je conclus très brièvement. Au-delà du portrait de Jean Lévesque, d'Emmanuel Létourneau, de Florentine Lacasse et des liens qui s'effritent entre les différentes figures de la fable, le roman *Bonheur d'occasion* ne livre-t-il pas sur le savoir insu, imputé aux figures féminines, un témoignage cohérent quant à la logique de l'inconscient ? Imaginaire de la relation spéculaire à l'autre, ambivalence narcissique, dénégation de l'Autre, trou de Réel et symbolique défaillant (Lacan, 1966a, 1966b, 1966c).

Que pouvons-nous extraire de cette fiction comme savoir de l'écrivain, savoir sur la constitution d'une société à une époque donnée de son Histoire et sur ses valeurs socio-économiques, mais surtout savoir insu qui, par l'intermédiaire d'une fiction et donc d'un processus de symbolisation, livre des éléments qui ne semblent pas étrangers au savoir de l'analyste ?

BIBLIOGRAPHIE

APOLLON, Willy (1990a), « Introduction », dans Willy APOLLON, Danielle BERGERON et Lucie CANTIN (dir.), *Traiter la psychose*, Québec, GIFRIC, p. 13-19.

APOLLON, Willy (1990b), « Psychanalyse et traitement des psychotiques », dans Willy APOLLON, Danielle BERGERON et Lucie CANTIN (dir.), *Traiter la psychose*, Québec, GIFRIC, p. 77-110.

CHEMAMA, Roland (dir.) (1993), « Père réel, père imaginaire, père symbolique », *Dictionnaire de la psychanalyse*, Paris, Larousse, p. 199-201.

COURTÉS, Joseph (1976), *Introduction à la sémiotique narrative et discursive*, Paris, Hachette. (Coll. « Classiques Hachette ».)

FREUD, Sigmund (1973), « Le roman familial des névrosés », dans Sigmund FREUD, *Névrose, psychose et perversion*, Paris, Presses universitaires de France, p. 157-160. (Coll. « Bibliothèque de psychanalyse ».)

GREIMAS, Algirdas Julien (1977), *Sémantique structurale : recherche et méthode*, Paris, Larousse. (Coll. « Langue et langage ».)

HÉNAULT, Anne (1979), *Les enjeux de la sémiotique*, Paris, Presses universitaires de France.

LACAN, Jacques (1966a), « Le Séminaire sur LA LETTRE VOLÉE », dans Jacques LACAN, *Écrits*, Paris, Éditions du Seuil, p. 11-61.

LACAN, Jacques (1966b), « Fonction et champ de la parole et du langage en psychanalyse », dans Jacques LACAN, *Écrits*, Paris, Éditions du Seuil, p. 237-322.

LACAN, Jacques (1966c), « L'instance de la lettre dans l'inconscient ou la raison depuis Freud », dans Jacques LACAN, *Écrits*, Paris, Éditions du Seuil, p. 493-528.

ROY, Gabrielle (1967), *Bonheur d'occasion*, Montréal, Beauchemin.

Max Roy

Université du Québec à Montréal

LES POSITIONS CRITIQUES DANS LES LECTURES SUCCESSIVES DE *BONHEUR D'OCCASION*

La convergence de la critique courante et de la critique savante a consacré la valeur du premier roman de Gabrielle Roy. On continue à l'enseigner dans les collèges du Québec (Roy, 1998a) et on y fait référence régulièrement dans les travaux spécialisés. L'œuvre n'a manqué ni de lecteurs ni de commentateurs dont l'influence concourt à en perpétuer le prestige. Les lectures successives de *Bonheur d'occasion* sont le lieu d'un renouvellement de sa signification et de sa valeur, qu'il s'agisse de son caractère intrinsèque ou de sa fonctionnalité culturelle. La lecture est, à cet égard, une action pleinement signifiante. Le sort d'une œuvre littéraire en dépend toujours, parfois trop, et il importe de décrire cette action, d'en saisir les conditions et les modalités. Certes, le caractère fugitif de la lecture fait obstacle à un pareil examen, mais les commentaires et les critiques littéraires représentent des témoignages de lecture concrets et analysables. Ces pratiques sont révélatrices des conceptions littéraires, des dispositions et des intentions des lecteurs. Elles ont, de surcroît, la fonction singulière d'orienter la lecture. Au-delà de la promotion des textes littéraires, la lecture critique en propose une interprétation et un usage. Il arrive qu'elle en fixe littéralement le sens et la valeur.

Je propose d'examiner les lectures successives de *Bonheur d'occasion* en insistant sur deux ordres de questions[1]. Le premier concerne l'activité critique, entendue comme une stratégie de lecture et d'écriture ; le second a trait à l'objet de la lecture et au statut de l'œuvre. D'une part, toute critique déploie une stratégie de compréhension à l'égard du phénomène littéraire. On peut parler généralement d'une attitude de lecture qui est fonction des compétences acquises, des postulats théoriques et des enjeux de l'activité critique (légitimation, explication, etc.) – c'est ici que se négocient les influences diverses, les attentes des individus ou des groupes de lecteurs et les obligations professionnelles. En outre, il résulte généralement de la critique des jugements appréciatifs plus ou moins argumentés et dont les procédés sont analysables.

------

1. Cette étude renvoie à une problématique plus large sur l'histoire de la lecture littéraire et à des recherches en cours de réalisation grâce au soutien du Département d'études littéraires de l'Université du Québec à Montréal, du Fonds pour la formation de chercheurs et l'aide à la recherche (FCAR) du Québec et du Conseil de recherches en sciences humaines (CRSH) du Canada. Je remercie les étudiants qui collaborent à ces recherches.

Cette rhétorique argumentative ressortit à une stratégie d'écriture. Une critique est une lecture doublement orientée par une finalité cognitive et par une finalité persuasive. D'autre part, l'objet de la lecture critique est nécessairement une construction provisoire, qui ne rend compte qu'imparfaitement d'un texte littéraire et qui ne retient qu'une partie de sa réalité. Par cette opération implicite et définitionnelle, l'œuvre acquiert un statut significatif. On peut retracer les schèmes (sociohistoriques, esthétiques, etc.) qui permettent de concevoir l'œuvre de telle ou telle manière et qui lui accordent, par exemple, un statut documentaire ou fictionnel (Roy, 1996a). Découle également de cette acception de l'œuvre sa possible inscription dans le champ littéraire.

Abondante, la documentation disponible pour cette étude comprend des articles de journaux, de périodiques culturels ou universitaires, des chapitres de livres, et j'en passe[2]. Mon propos n'étant pas le compte rendu exhaustif de la critique sur *Bonheur d'occasion*, je retiens simplement quelques cas pouvant illustrer, à travers le temps, divers états et modes de la lecture littéraire. Ils correspondent à des moments marquants. En l'occurrence, les premiers témoignages de lecture méritent

---

2. Je m'en remets à une bibliographie critique sur *Bonheur d'occasion* préparée, dans le cadre de mes activités de recherche en 1995, par Sylvie Lamarre, étudiante au doctorat à l'Université du Québec à Montréal.

l'attention pour leur influence éventuelle. Les changements de paradigmes critiques ont également des conséquences dans l'histoire des lectures. Quant au cinquantième anniversaire de l'œuvre, il n'en sera pas question ici, même s'il a été l'occasion de relectures et de travaux de synthèse.

Une première division, très générale, correspond aux principaux lieux de l'activité critique. Se distinguent ainsi deux grandes postures : celle de la critique journalistique et celle de la critique universitaire[3]. Quoique non exclusives, elles traduisent globalement un changement de cadre de la critique au Québec. Une seconde division repose à la fois sur la chronologie et sur des particularités internes de la critique. Elle rend compte de moments clés dans la fortune de l'œuvre mais surtout dans les pratiques de lecture. Ce sont ces pratiques qui retiennent mon attention.

LA CRITIQUE JOURNALISTIQUE

LES PREMIÈRES LECTURES

Un des tout premiers commentaires sur *Bonheur d'occasion* a paru dans *Le Bloc* en juillet 1945, sous la signature de Julia Richer. D'emblée, le titre

---

3. Bien qu'elle ne recouvre pas toutes les possibilités, cette distinction renvoie aux pratiques dominantes de la critique littéraire au Québec. Elle peut être incluse dans la distinction entre la « lecture mondaine » et la « lecture savante » retenue par Michel Charles dans son *Introduction à l'étude des textes* (1995).

de l'article exprimait un jugement : « Un grand roman. » Le début était pareillement sans équivoque :

> *Un grand livre. Un témoignage. Le symbole littéraire du peuple canadien-français, de son opiniâtre résistance à la misère, de son héroïsme quotidien. Un roman qui place devant nous, bien en lumière, le problème de la misère* (Richer, 1945).

Richer insiste sur le caractère typique des personnages, sur celui de Rose-Anna, en particulier, qui est un « type de femme inoubliable » et qui possède les « caractéristiques bien canadiennes-françaises d'opiniâtreté » devant le malheur. Le roman apparaît comme une « plaidoirie en faveur d'un réajustement social ». Ce n'est pas, dit Richer, une thèse, mais une représentation et une dénonciation de faits sociaux. Elle soutient alors l'hypothèse interprétative suivante : au déséquilibre socioéconomique, le roman laisserait entrevoir une solution ou plutôt une issue : « Un monde pacifié, constructeur d'œuvres sociales, qui équilibrerait les deux grandes forces en opposition : la pauvreté et la richesse. » Cette conclusion suppose une lecture du contexte socioéconomique à travers le texte littéraire. Quoique le monde empirique et les coordonnées extratextuelles l'emportent sur les questions d'esthétique, les considérations littéraires n'en sont pas totalement exclues. Elles se rattachent aux débats sur l'histoire et la tradition littéraires. La lecture de Richer renferme, en effet, plusieurs comparaisons qui attestent la puissance du roman et qui l'inscrivent dans une tradition. Que cette dernière ne confine pas à une réalité locale n'est pas sans conséquence. La critique renvoie, plus précisément, à des personnages dans les œuvres de Mauriac et de Claudel et, surtout, à l'héroïne de l'unique roman de Louis Hémon. Considéré comme le modèle des grands romans du terroir, *Maria Chapdelaine* a une valeur de référence évidente pour juger de l'évolution du héros dans le roman québécois. Richer observe que « Rose-Anna Lacasse devient pour les citadins ce qu'était Maria Chapdelaine pour les gens de la campagne ». C'est « [u]ne femme pauvre dont l'amour pour les siens est si vaste qu'il en est malhabile et silencieux. [...] Des femmes de ce type ne connaissent pas d'exigences ». L'analyse interne du roman se fait essentiellement à partir de ce personnage, qui est décrit par des traits de psychologie sociale. Richer prête foi à l'auteure : « Mademoiselle Roy [...] connaît bien le pauvre. Elle connaît ses réactions devant les grandes phases de la vie. » S'ensuit une série de questions : « Que pense le pauvre devant l'amour ? Que reste-t-il du bonheur d'occasion récolté par Florentine [...] ? [...] Que pense le pauvre en face de la guerre ? » Tous ces éléments font de la lecture critique une épreuve d'authenticité. Cela reste dans la plus convenue des attitudes journalistiques en matière de jugement littéraire. Mais il faut noter surtout le pseudo-dialogue auquel cette attitude donne lieu. C'est comme si la critique prolongeait les propos de l'auteure, comme si leurs pensées se précisaient jusqu'à laisser présager un mieux-être collectif aux lendemains de la guerre. « Le livre de Mademoiselle Roy, conclut Richer, conduit à cette espérance. Il la laisse entrevoir. »

La même année, René Garneau, Albert Alain et Roger Duhamel accueillent aussi favorablement l'œuvre. À son tour, Garneau affirme que Gabrielle Roy « a réfléchi assez longuement sur le mal social [...] » (Garneau, 1945). La peinture de mœurs exige une compétence particulière de l'écrivain, mais également une disposition du lecteur lui permettant d'acquiescer à la dimension sociopsychologique du roman. Le pacte de lecture est fondé sur une connaissance approfondie du milieu dépeint, voire sur une connaissance de l'intérieur : la rencontre avec l'œuvre sous-entend une expérience. Le contexte social est le schème d'intelligibilité dominant ici. Sur un autre plan, le roman *Trente arpents* de Ringuet a remplacé celui de Hémon à titre de référence. Dans son appréciation finale, Garneau insiste sur le sexe de l'auteur : « Elle traite son sujet d'une façon objective et mâle. » Alain, pour sa part, retrouve dans *Bonheur d'occasion* une « [a]ffabulation toute simple, selon une trame qui a déjà servi dans pas mal d'autres romans : la jeune ouvrière qui se laisse abuser [...] » (1945). Pour lui, ce sujet comportait des risques, mais il reproche surtout au roman ses longueurs et il émet l'opinion que « la forme anglaise lui siérait ». Quant à Duhamel, il y voit un objet de fierté nationale, une « œuvre de grande classe [...] qui fait envisager l'avenir avec espoir » ([1945] 1966 : 44). Le critique le rapproche du roman de Roger Lemelin, *Au pied de la pente douce*. Il reconnaît, lui aussi, une certaine trivialité du sujet. Jusque-là, les critiques disent exercer une lecture empathique du roman et accorder une sincérité tant à l'auteur qu'à ses personnages. Cela suffit, semble-t-il, à passer outre les défauts du thème ou de son traitement. Cette lecture bienveillante ne manque pas de jugements préalables et de comparaisons avantageuses. On reconnaît tout à la fois la vérité du portrait social et le travail exceptionnel d'une femme écrivain.

La lecture de François Hertel est d'une tout autre teneur. « [E]n ce pays maudit par les muses, écrit-il, [...] arrêtons-nous un instant pour sourire » (1946 : 46). Rare voix discordante, sa critique adopte un ton polémique et pose un jugement sévère sur le roman ainsi que sur la critique dont il a été l'objet. Hertel se prononce en priorité sur les goûts et les attentes des lecteurs canadiens, lesquels lui paraissent naïfs et incultes, en un mot... incompétents. Il les accuse d'ignorance et de sensiblerie, ce qui expliquerait l'intérêt pour les sujets triviaux des romans populaires. À cet égard, la popularité de *Bonheur d'occasion* serait suspecte. Pour Hertel, le roman de Gabrielle Roy n'est ni « un chef-d'œuvre, ni même un livre bien écrit, ni même un ouvrage bien fait. [...] On nous a encore enlisés dans les bas fonds. Nous nous sommes reconnus en bavant de joie. Tant pis pour nous ! » (p. 47). Cet article constitue, en fait, une charge contre la médiocrité intellectuelle. « Le pire, conclut Hertel, c'est que les critiques littéraires qui font ici autorité manquent ou de jugement ou d'honnêteté élémentaire » (p. 47). Bref, le sujet et la langue du roman sont pour lui sans valeur, mais ils sont en accord avec l'état de la vie intellectuelle au Canada français. Il ne saurait y avoir de critique, ou même de littérature, dans ces conditions. Derrière les propos acérés de Hertel, un système de pensée valorise la nouveauté, rejette le trivial et fait de l'ordre une exigence. La lecture critique est engagée dans un processus plus large d'adhésion ou d'opposition à son milieu.

LECTURES DU PRIX FÉMINA

Dans les premières lectures critiques de *Bonheur d'occasion*, la question de la vérité des contenus semble l'emporter sur les diverses considérations esthétiques. Le couronnement par le Prix Fémina ne signifie pas que la question ait été résolue. Les commentateurs de l'événement la reprennent bien volontiers, tout en donnant raison au jury, pour la plupart. Dans un article du *Quartier latin*, paru en 1948, Jean-Marc Léger conteste la valeur artistique du roman et les motifs d'obtention du Prix Fémina. À son avis, ce roman n'apporte rien de neuf. Quoiqu'il s'agisse d'un « ouvrage fort honnête [...] un témoignage – plutôt un document où l'auteur manifeste une connaissance réelle du milieu décrit », ce roman est une « trahison de la réalité » et il souffre d'un « manque total d'approfondissement » (1948). Léger n'hésite pas à parler de pauvreté artistique, d'émotion facile et de sentimentalisme. Il note surtout la faiblesse des personnages. L'attitude critique concerne, en fait, un débat plus large et elle prend appui sur des jugements extérieurs. Un des postulats de Léger veut qu'il y ait, au Canada français, une crise de l'esprit critique. Le manque de lucidité dans la réception de *Bonheur d'occasion* en serait l'illustration, ce qui rejoint l'opinion de Hertel. Pour justifier son propos, Léger s'en remet au jugement d'un critique français, Pierre Debray, dans un périodique intitulé *Témoignage chrétien* qu'il cite longuement. Hormis quelques protestations de résidents de Saint-Henri, les réactions de Hertel et de Léger paraissent isolées et ne signifient pas une rupture de consensus. Elles constituent néanmoins la contrepartie du jugement critique officiel.

La réplique à l'article de Léger a été quasi immédiate. Dans une édition ultérieure du *Quartier latin*, le critique Albert Legrand soutient une opinion adverse en déconstruisant l'argumentation de Léger. Pour ce faire, il pose deux critères de légitimité dans le jugement littéraire : une bonne connaissance de la réalité et de la littérature québécoises et une capacité d'identification aux personnages. Pour Legrand, les réactions extérieures ne sont d'aucune utilité. La lecture de Debray lui apparaît non avenue parce qu'elle ne correspond pas à la compétence requise par l'ouvrage. C'est une critique de la compétence de lecture : « Le nom de "Témoignage chrétien" ne suffit pas à accorder chez nous, à un hebdomadaire français, un crédit illimité » (1948).

> *Qu'est-ce que Pierre Debray connaît du Canada pour juger aussi péremptoirement et avec une ironie aussi fausse que pesante un roman de mœurs canadiennes-françaises ? La nature de son jugement et la tournure de sa psychologie aux préoccupations nettement françaises, tout cela me fait soupçonner que Pierre Debray n'a jamais mis le pied au Canada.*

Selon Legrand, le lecteur de *Bonheur d'occasion* est particulièrement engagé par ce qu'il lit ; il doit faire sienne l'émotion des personnages. Contrairement à ce que soutenaient Léger et Hertel, les personnages sont des foyers d'émotion, et le roman invite le lecteur à partager leur vie intérieure. Cette lecture par identification ou empathie est décrite de façon explicite : « Le lecteur partage avec Florentine cet amour plein d'admiration pour Rose-Anna ; il s'aperçoit [,] en fermant le livre, que le cœur de la jeune fille a habité le sien » (Legrand, 1948). Pour le critique, « [c]e roman n'est pas un roman à thèse. De page en page se déroule le récit d'un témoin et non le plaidoyer d'un avocat ». En l'occurrence, la parenté avec d'autres lectures critiques est à souligner. Outre la référence fréquente à Mauriac, le type du héros est, de nouveau, au cœur du questionnement. Ainsi, la figure de Maria Chapdelaine s'impose, comme chez Richer, dans la recherche d'une filiation littéraire : « Rose-Anna

Lacasse restera. Elle est l'accomplissement de Maria, elle en a le courage, l'endurance. Rose-Anna est plus que femme, elle est mère. » Legrand n'est pas le premier non plus à mettre en scène sa lecture sur le mode de l'interrogation rhétorique[4] : « Florentine Lacasse aime Jean Lévesque. L'épousera-t-elle ou non ? Après sa faute, l'épousera-t-elle ou non ? » Par ailleurs, le critique a le souci de motiver ses propos en montrant les relations entre le contenu du roman et le contexte sociohistorique :

> Montréal palpite dans ces pages, avec sa vie trépidante, ses rues, ses trams, ses usines, ses magasins, ses théâtres, ses restaurants. Les scènes d'ensemble, moins nombreuses que chez Lemelin, nous laissent des souvenirs inoubliables.

Enfin, à l'instar de Garneau, Legrand observe que « [l]es gestes religieux des personnages, présentés avec sympathie, ne trouvent pas chez l'auteur une interprète qui prend position ». Cette observation sera également reprise par les critiques ultérieurs.

Gilles Marcotte a commenté plusieurs fois *Bonheur d'occasion*, à titre de journaliste et de profes-

---

4. Julia Richer, surtout, ajoutait son propre questionnement à celui des personnages : « Pourquoi vouloir aller se battre, se demande avec angoisse Emmanuel Létourneau, en quittant Florentine qui est devenue sa femme et qu'il a sauvée du désespoir. Pourquoi aller se battre ? Pour l'empire anglais ? Allons donc ! Pour l'Angleterre ? Allons donc ! Pour le Canada, nullement impliqué dans un pareil conflit ? Allons donc ! » (1945).

seur. Sa position a été souvent à mi-chemin entre des pratiques régies ou légitimées par la presse et l'institution universitaire, ce qu'il reconnaît volontiers (voir Popovic, 1996). Sa critique de 1950 s'appuie sur des comparaisons à Péguy et à Lemelin. Il y soulève des réserves sérieuses, notamment sur le personnage d'Azarius qui lui semble « un peu trop curieux même à [son] gré pour sa vraisemblance » (Marcotte, 1950 : 201). Par ailleurs, Marcotte interprète un autre personnage comme un porte-parole de l'auteur : Emmanuel « est bien soucieux de trouver sa "vérité", bien cogitant, et il [lui] apparaît comme la revanche de l'idéal de l'auteur sur la retenue qu'elle s'impose avec les autres personnages » (p. 203). L'appréciation littéraire tient compte du jugement d'un critique français, Thierry Maulnier, que Marcotte trouve « objectif » et « juste » :

> Bonheur d'occasion *est un roman solidement composé, honnêtement écrit, à distance égale de la tradition classique française et du réalisme populiste, mais manque de ces profondeurs, de ces sommets brillants de lumière, où une personnalité vraiment forte inscrit sa marque* (Maulnier, 1948 ; cité dans Marcotte, 1950 : 204).

Pour Marcotte, le roman « est certainement terne et c'est le plus grand obstacle à sa lecture » (p. 205). Il est même qualifié de « fastidieux ». Néanmoins, Marcotte voit dans *Bonheur d'occasion*

> *l'inventaire d'une partie de notre âme* […]. *Un* acte *de notre évolution culturelle.* […] *une phase importante de cette expérimentation, sans lui*

> *nous n'aurions pas encore connu « canadienne-*
> *ment » la misère. Il mérite à ce titre notre plus*
> *fidèle attention* (p. 206).

En somme, l'opinion de la critique française a son importance, mais le jugement doit être fonction d'un contexte culturel ou littéraire spécifique. La compétence de lecture inclut cette connaissance de l'environnement, plus précisément de « notre évolution culturelle », ce qui est une disposition particulière. La lecture d'un tel roman exige un partage de sensibilités et de compétences. Les canons littéraires, les « hauteurs de la littérature française » à partir desquelles Maulnier pose son jugement, ne suffisent pas ; ils ne s'appliquent pas. Sous un autre éclairage, la lecture peut avancer avec bonheur. Marcotte prolonge le questionne-ment de ses prédécesseurs sur la compétence de l'interprète. Sa critique n'écarte pas le recours à l'opinion extérieure, mais elle échappe à la polémique. Quant à la possible empathie du lec-teur, elle semble reliée encore une fois à la carac-térisation des personnages.

En cinq années à peine, sont énoncés une série de propositions et de jugements que reprendront à leur manière les critiques ultérieurs et qui consti-tuent, en quelque sorte, des données de départ pour la lecture. Ces énoncés critiques ont leur per-tinence dans l'épistémè littéraire. Par exemple, tout comme la dénonciation de l'indigence, le portrait d'une mère courageuse est devenu un des points forts du roman. Dans l'espace critique, les méconnaître relèverait de l'impéritie, y insister, du cliché.

LA CRITIQUE UNIVERSITAIRE

La littérature québécoise est entrée lentement à l'université et elle ne s'y est pas imposée avant la décennie 1970 (Melançon, 1996), même si plusieurs universitaires s'y intéressaient déjà. Par ailleurs, plus d'un professeur a mené d'abord ou parallèlement une carrière de journaliste. La frontière est parfois poreuse entre une critique courante et une critique savante. Quoi qu'il en soit, convenons d'appeler « lecture universitaire » toute manifestation d'une lecture produite dans un cadre universitaire et diffusée dans des éditions spécialisées. Elle a pour objet premier le *savoir* et elle va, en principe, au-delà de la glose appréciative. Une caractéristique importante tient alors au parcours argumentatif. Les lectures savantes ne sont pas toutes des analyses de texte, mais plusieurs lectures universitaires de *Bonheur d'occasion* adoptent un parcours logique où l'analyse a sa place.

DU COMMENTAIRE À L'ANALYSE

Dans une étude parue initialement en 1952 dans *L'Action universitaire,* Gérard Bessette dit de *Bonheur d'occasion* qu'il soutient plusieurs lectures « sans lasser notre admiration » ([1952] 1967 : 22). Il n'hésite pas à faire du roman l'équivalent pour les Québécois de « ce qu'une *Madame*

Bovary, par exemple, est aux Français » (p. 22). Son jugement, toutefois, n'est pas sans nuance et il s'appuie sur une analyse détaillée de la psychologie des personnages. Le critique postule que « ce qui fait la valeur d'un roman, c'est la vie de ses personnages » (p. 22). Or, il observe une différence très nette entre les personnages masculins et les personnages féminins. Les héroïnes, Florentine et Rose-Anna, « constituent de beaucoup les meilleures réussites du roman canadien-français, les seules que l'on puisse comparer sans honte aux types universels des autres littératures » (p. 25). Par contre, parmi les personnages masculins, seul Azarius lui semble vraiment consistant, tandis que Jean et Emmanuel sont des personnages ratés. Leur psychologie manque de vraisemblance : la naïveté d'Emmanuel est aussi inadmissible que la muflerie de Jean. Dans ce dernier cas, la raison en serait que l'auteur explique tardivement son comportement, ce qui contrevient à un principe de composition. Bessette affirme, en effet, que « le temps romanesque comme le temps psychologique est irréversible » (p. 24). Ce principe renvoie aux conditions de la lecture « courante », laquelle serait foncièrement linéaire[5]. D'ailleurs, le style de *Bonheur d'occasion* paraît fonctionnel et efficace, de ce point de

---

5. C'est une conception proche de la régie de lecture « en progression » que décrit Bertrand Gervais dans *À l'écoute de la lecture* (1993).

vue, « si on lit le roman sans s'arrêter, comme le lecteur normal doit le faire » (p. 30). Cela sous-entend une sorte de consensus sur le mouvement de la lecture et sur les attentes du lecteur.

> *Un roman parfait,* au dire de Bessette, *est un roman où les personnages sont vivants d'un bout à l'autre, non pas celui où l'auteur, pris d'un remords tardif, vient nous expliquer à la fin les raisons d'agir de ses héros pour corriger la mauvaise impression que nous avons reçue* (p. 24).

À côté des défauts du roman – dont une mauvaise description du quartier –, Bessette souligne entre autres qualités sa poésie, manifestée par la capacité de rêver des personnages, ainsi que l'emploi fréquent et habile de l'antithèse. Celle-ci exige la participation du lecteur et l'engage dans une activité d'interprétation complexe. Il s'agit de ressentir les contradictions chez les personnages, d'éprouver les contrastes entre leurs rêves et la réalité, mais aussi de « mesurer », par exemple, l'antithèse de deux scènes et sa fonction romanesque. Ainsi, l'intrigue paraît « savamment agencée » (p. 30). Ce qui compte davantage, pour Bessette, est l'attitude du narrateur : « Madame Roy manifeste une qualité qui manque singulièrement aux plus grands romanciers français : la sympathie envers ses personnages » (p. 25). Gabrielle Roy se rapprocherait en cela des Eliot, Tolstoï et Dostoïevski, et son œuvre participerait d'une histoire littéraire mondiale. Au-delà de l'analyse interne, le critique clôt son article par deux observations significatives :

> *Quel enrichissement pour un jeune peuple repré-*
> *sente un tel roman ; à quel point un aussi magis-*
> *tral tableau contribue à former la mentalité et la*
> *personnalité d'une ville, il me semble inutile d'y*
> *insister.*
> *Si mes remarques ont pu inciter mes lecteurs à*
> *relire* Bonheur d'occasion, *nos critiques, à l'étu-*
> *dier davantage et nos éducateurs, à y accorder*
> *plus d'attention, je me sentirai amplement ré-*
> *compensé de mes efforts* (p. 30).

Ces considérations attestent la portée didactique du roman et le rôle de promoteur que le critique s'est donné. Elle soulignent un effet pragmatique. En cela, le propos rejoint des préoccupations huma- nistes et une fonction traditionnelle du littéraire. On n'est pas loin de retrouver une conception téléolo- gique de l'art dans la conclusion de Bessette, après qu'il se fut appliqué à une analyse des compo- santes internes du roman. Si cet article daté de 1952 est représentatif, on peut dire que les débuts de la critique universitaire ne sont pas sans lien avec le passé.

Au début de la décennie 1960, une tradition de lecture du roman existe bel et bien où les consi- dérations sociologiques et psychologiques l'em- portent largement. Les références à l'histoire litté- raire permettent d'y insister. C'est ce qu'on trouve dans les articles de Legrand et de Marcotte, lesquels observent une évolution significative du roman canadien-français, ou encore dans l'étude de Bessette, qui inscrit l'œuvre dans la littérature uni- verselle. Les appréciations peuvent varier, mais la

cause paraît entendue lorsque sont fixés les paramètres de l'interprétation : *Bonheur d'occasion* est
reçu comme un *document* plus ou moins fiable.
Est-il possible alors d'en renouveler la lecture, d'en
faire l'objet d'une nouvelle expérience ?

La lecture d'André Brochu, datée de 1964, tente
ce renouvellement par une étude de thèmes, celui
du « regard » en premier lieu. Ce travail, consacré à
un aspect spécifique du texte de *Bonheur d'occasion*, se distingue surtout par sa démarche analytique qui allie la rigueur et la subjectivité. C'est
d'abord une lecture réflexive. De tous les commentaires sur le roman, celui-ci est peut-être le premier
à vraiment mettre en cause, de façon prioritaire, la
relation du lecteur au texte. Brochu n'évoque pas
un lecteur collectif ou idéal. Plus simplement, il
met en scène une lecture, sa propre lecture évidemment, pour faire voir le travail de l'interprète
et la construction du sens. Pour l'essentiel, ce travail porte sur des virtualités textuelles et il est
conçu explicitement comme la formulation et la
vérification d'hypothèses. La lecture de l'incipit du
roman indique la nature du questionnement
critique[6]. L'interrogation reprise et simulée dans

---

6. « Au moment où commence *Bonheur d'occasion*,
nous trouvons Florentine dans une attitude caractéristique
des personnages de Gabrielle Roy : l'attente. "À cette heure,
Florentine s'était prise à guetter la venue du jeune homme
[…]." Dès le début, le roman nous situe dans une *durée* ; « à
cette heure », c'est le moment présent, c'est un moment plus

une première section – trop longue pour être citée entièrement – de l'article de Brochu illustre une méthode de lecture. La visée n'est pas tant l'explication du texte que la compréhension de sa lecture. Une autre visée de l'étude est d'établir des points de convergence attestant « la très grande cohérence de l'œuvre, qui est le signe même de sa réussite » ([1964] 1974 : 245). L'analyse fait ressortir, tout particulièrement, un antagonisme de mouvements dans le récit, représentés par les figures de la droite et du cercle. Celles-ci doivent rendre compte de la structure du roman.

Revenons au parcours suivi par Brochu. Le travail inférentiel de la lecture analytique procède par une succession d'hypothèses et de vérifications.

---

précis encore que le "maintenant" puisque le démonstratif semble pointer *une* "heure" plutôt qu'une autre, puisqu'il appelle naturellement un développement que l'auteur nous refuse et qui demeure purement implicite. On peut imaginer qu'il s'agit de l'heure *où* Florentine nous apparaît, ce qui sous-entend une relation au lecteur ; ou encore, qu'il s'agit par exemple de l'heure d'affluence, ce qui sous-entend une relation du personnage à son milieu immédiat, celui du magasin où travaille la jeune fille. Quoi qu'il en soit, il s'agit d'une durée extérieure au personnage, d'une durée objective qui n'engage aucunement sa participation. [...] Mais précisons encore davantage : qu'y a-t-il au bout de l'attente ? Est-ce, pour Florentine, Jean Lévesque ? pour Gédéon, l'homme inconnu ? pour Alexandre, lui-même ? Si l'on y regarde de près, on se rend compte qu'il s'agit plutôt de leur *venue* ou de leur *entrée*, termes à peu près synonymes [...] et que cette venue ou cette entrée sont l'objet d'un *regard* [...] » (Brochu, [1964] 1974 : 207-210).

Une première proposition veut que l'*entrée* des personnages soit singulièrement significative ; une deuxième hypothèse introduit la notion du regard ; une troisième hypothèse, également générée par les constatations antérieures, soutient l'incidence de l'espace, la signification des lieux. La liste des propositions ne s'y limite pas, mais cela suffit à illustrer le raisonnement. On aura compris que les hypothèses s'enchaînent selon un mode d'association proche de l'implication logique. Pourtant, c'est bien de plusieurs pistes de lecture qu'il s'agit. L'interprète fait un travail très personnel en insérant dans l'univers textuel une série d'hypothèses ou de questions qui en donnent une représentation globale. Configurée selon les paramètres retenus (le regard, l'éloignement, le mouvement...), l'œuvre est comme révélée ; elle devient intelligible. Cette série d'hypothèses ressortit à la démarche de l'abduction que Peirce a explorée dans ses réflexions sur la sémiotique. Cette démarche suppose plusieurs avenues de lecture et des résultats inédits.

Dans une étude parue en 1969, Maurice Lemire développe implicitement une idée de Julia Richer sur le sens de la guerre pour une couche de la population, à savoir sa fonction paradoxalement libératrice. Il soutient la thèse de l'inadaptation à la vie urbaine ou de l'intégration difficile des nouveaux citadins. L'explication établit un rapport direct entre la référence interne du roman et la réalité sociohistorique. Le mode de lecture proposé par Lemire se rapproche de celui de Marcotte. Le texte est un donné fiable qui peut tout au moins refléter un état de la société. Cependant, ce reflet n'est pas immédiat. Le texte repose sur un *prétexte,* un substrat social en quelque sorte, qui n'a peut-être pas encore généré une forme discursive reconnaissable, mais qui l'informe et le détermine. Les conditions de sa cohérence seraient donc extérieures. La démarche adoptée par Lemire ressortit à la déduction, dans la mesure où la proposition initiale, une hypothèse forte, a valeur d'explication globale. Il s'agit, toutefois, d'une règle particulière, valable pour ce roman, mais qui ne saurait être tenue pour une loi du genre.

Adoptant une autre position critique, Jacques Blais cherche à définir le principe de cohésion interne du roman. Par la découverte de symétries nombreuses dans l'organisation de l'œuvre, son étude conclut à une rigoureuse logique, à l'« étonnante cohésion d'une œuvre réputée ambiguë » (1970 : 50). Blais reprend à son compte l'analyse de Brochu et, à l'antagonisme de la droite et du cercle, il préfère la figure d'un mouvement giratoire. Les interventions de ces deux lecteurs s'inscrivent dans un espace théorique visiblement homogène. Le mode de lecture de Blais est certainement moins autoréflexif. S'y manifeste aussi, néanmoins, une préoccupation pour l'effet du texte sur le lecteur.

Ces derniers cas illustrent bien un dynamisme de l'institution critique, qui n'est pas sans rapport avec une dialectique de la question et de la réponse (Jauss, 1988). En effet, il s'établit une forme de dialogue entre les lecteurs spécialisés et officiels que sont les critiques. Ceux-ci se répondent évidemment à distance. Il existe un partage et un marché d'opinions sur la scène de la critique. On le constate aisément dans les lectures de l'œuvre nelliganienne où régulièrement le texte disparaît au profit de la figure légendaire et de la tragique destinée de son auteur. Le cas présent est certes différent, mais le relais entre les lectures est assez clair, sinon explicite. Ainsi, dans une perspective polémique, Legrand répondait à Léger, qui répondait lui-même à des critiques trop enthousiastes à son goût. Le prolongement d'une idée de Brochu dans une étude de Blais est une autre manifestation de ce dialogisme critique.

UNE CRITIQUE STRUCTURALISTE ET INSTITUTIONNELLE

Les jugements négatifs publiés sur *Bonheur d'occasion* sont peu nombreux et ils proviennent rarement des milieux universitaires. Fait exception la critique de Guy Laflèche dans la revue *Voix et images*. Elle semble sans équivalent, mais on se saurait l'ignorer, ne fût-ce que pour la place de cette revue sur la scène littéraire québécoise. Il s'agit d'une double prise de position. L'influence du structuralisme et l'entrée de la littérature québécoise à l'université en sont les données initiales. Laflèche fait grand cas, d'une part, de l'attention qui doit être accordée aux éléments structuraux dans une analyse de texte, d'autre part, d'une liberté critique à préserver à l'égard de la littérature québécoise. À son avis, celle-ci aurait acquis une importance excessive, voire une position hégémonique dans l'institution. Son étude constitue à la fois une charge contre la critique québécoise officielle et une critique du roman fondée sur une analyse de la « technique narrative ». Le sort de l'œuvre représente pour Laflèche un lieu commun de la

> *littérature québécoise, qui est bien finalement un*
> *peu le résultat du travail d'une « communauté*
> *intellectuelle québécoise ». Alors qu'il n'y a pas si*
> *longtemps, dix ou quinze ans, on entendait dire*
> *qu'elle n'existait pas, voilà qu'on nous a décou-*
> *vert une littérature – un lieu commun, objet de*
> *maintes recherches et d'autant de travaux*
> (1977 : 97).

Se trouvent déjà, dans cet énoncé, la thèse générale d'une communauté interprétative, proposée par Stanley Fish (1980), et la thèse spécifique d'une « littérature inventée », que soutiendra plus tard Nicole Fortin (1994). Le Québec, prétend Laflèche, a cultivé les « bonheurs d'occasion[7] ». De *Maria*

---

7. Évoquant les « têtes d'affiche du roman québécois », Laflèche écrit : « Et ce bonheur de quelques générations tout au plus ne peut s'expliquer que par un système de lieux communs, le court-circuit d'idées et de formes reçues sur un texte qui réussit à prévoir, à orchestrer et même à susciter les poncifs des lecteurs et, par conséquent, de la critique – c'est alors le succès foudroyant et, par définition (un des premiers stéréotypes), *inespéré* » (1977 : 99).

Chapdelaine, par exemple, il dit que « le monde entier et le Québec en ont fait une lecture délirante : il s'agit d'un excellent roman pour adolescent[s], rien de plus » (1977 : 97). Quant à *Bonheur d'occasion*, il « porte bien son titre, mais en toute innocence… » (p. 98).

Dans la suite de l'article, Laflèche propose sa propre lecture en décrivant l'organisation et les mécanismes internes du roman à l'aide de plusieurs tableaux. Les emprunts au structuralisme alors à la mode sont explicites dans les références à Propp, Barthes, Genette et Bremond. Ce système de lecture sert à montrer les ressorts du roman et ses insuffisances. Ce n'est donc pas seulement un modèle hypothétique de description mais un modèle de critique, au sens le plus traditionnel, ce qui présuppose une norme ou un idéal. Dans son argumentation, Laflèche observe, en premier lieu, que l'ordre du récit convient bien à la linéarité de la lecture. Opposant son analyse de la chronologie à celle de François Ricard (1975), il soutient que « le roman sait profiter du *temps de la lecture* (la linéarité de la succession) » (1977 : 99) et il conclut que « [c]ette structuration du roman en séquences temporelles n'a évidemment rien d'extraordinaire : c'est au contraire, [lui] semble[-t-il], celle du roman feuilleton » (p. 102). La comparaison annonce l'appréciation d'ensemble. Deuxièmement, l'histoire est, pour Laflèche, « essentiellement confuse et fragmentée » (p. 103), ce qui n'a pas échappé à la critique antérieure :

> *Un lieu commun de la critique, par exemple, fut*
> *de décider si c'était Florentine ou Rose-Anna qui*
> *était l'héroïne ou le personnage principal du*
> *roman – et on va souvent jusqu'à faire de cette*
> *confusion narrative une qualité essentielle du*
> *roman* [...] (p. 104).

Ce disant, Laflèche affiche ses partis pris critiques et théoriques : la recherche des lois du genre romanesque et la défense du postulat d'immanence. Quant à l'histoire de la fille d'origine modeste, abusée puis enceinte, elle apparaît un thème ancien, voire un cliché feuilletonesque.

Par ailleurs, l'étude de la « technique narrative » fait apparaître une forme « classique ». Le critique soutient que « ce lieu commun formel est en même temps un lieu commun idéologique, ou, si l'on préfère, qu'un roman "classique" ne peut transporter que des idées "classiques" [...] » (p. 106). Il montre que le roman peut être analysé, selon le modèle de Claude Bremond, de deux manières, ce qui est interprété négativement :

> *Cette ambiguïté narrative ou cette désorientation*
> *de l'histoire signifie que le narrataire, c'est-à-dire*
> *le lecteur supposé de l'histoire, le public auquel*
> *s'adresse le narrateur, ne reçoit pas de celui-ci*
> *une consigne de lecture ou une analyse nette de*
> *l'histoire qui lui est racontée* (p. 107).

Ce dernier extrait constitue un énoncé *métalectoral* (Roy, 1996b) explicite qui promeut une conception de la lecture programmée. En clair, l'auteur dirige les actions et prévoit les réactions des lecteurs par des stratégies de narration. Cependant, cette théorie de la lecture est avant tout une théorie du texte qui, conformément au principe d'immanence, postule la totalité et la cohérence internes de l'œuvre. Pour Laflèche, c'est justement

> la pierre d'achoppement de la critique de ce roman : elle s'est efforcée de lui trouver des « structures », une « unité » ou une « cohésion » qui devaient compenser son caractère manifestement conservateur du point de vue de la forme romanesque [...] (p. 107).

Si *Bonheur d'occasion* représente un cas type d'œuvre ayant connu plusieurs lectures et interprétations, la raison en est, d'après Laflèche, dans sa narration qui sème la confusion et « désoriente » le lecteur. Loin d'être un récit « objectif », le roman est selon lui « le lieu d'un *brouillage* où le narrateur intervient de place en place pour juger les personnages et qualifier l'histoire » (p. 108). À la neutralité du narrateur s'oppose une forme d'*effacement idéologique*, due au fait que « le narrateur est dépassé par l'histoire qu'il raconte » (p. 109-110). Laflèche soutient alors que « toute cette rhétorique qui marque apparemment la réalité romanesque pose en fait la sympathie d'un narrateur larmoyant et suppose en conséquence la sympathie, l'émotion et la pitié du lecteur », ce à quoi il ajoute : « Ces rhétoriques de la confusion et du mystère, de la misère et de l'émotion ne sont rien d'autre que les lieux communs du roman populaire [...] » (p. 111). Le roman-feuilleton en est le

prototype. Paradoxalement, ces lieux communs auraient assuré le succès du roman, mais c'est surtout
la réaction de la critique que Laflèche juge anor-
male. À ceux qui ont souligné positivement le
thème de la misère – Marcotte et Legrand, en particulier – Laflèche oppose la clairvoyance de Léger,
lequel « a bien vu que l'émotion était le lieu commun des œuvres de charité et des pauvres de
Madame » (p. 111). Il se demande, enfin, si le fait
d'aller à contre-courant n'est pas un « crime de
lèse-nationalisme » (p. 114).

Ainsi sont réaffirmés des enjeux qui débordent
la compréhension du roman. Loin d'être vouée à la
stricte description de dynamismes internes, la « lecture structuraliste » sert plutôt, ici, à éclairer le sort
général de l'œuvre, à le rattacher à l'horizon d'attente des lecteurs et au développement de l'institution littéraire. La critique à l'endroit de l'institution-
nalisation de la littérature québécoise identifie
clairement une orientation nationaliste dominante
et ses effets déformants sur la signification des œuvres. Cette lecture de Laflèche est un exemple de
critique de la critique ou de *métacritique*. Elle
illustre un conflit d'interprétations et un différend
au sein de la communauté interprétative. D'une
opposition de vues résultent la révision des valeurs
d'une œuvre, des systèmes de lecture et des
schèmes d'interprétation et la réhabilitation de
lectures déviantes ou désavouées. Une nouvelle
lecture critique n'est pas forcément inédite : les jugements d'autrefois refont surface, mais avec des

arguments actuels. Laflèche répète les propos de Léger, mais il ne peut le faire, au milieu des années 1970, qu'en trouvant une justification dans l'analyse des composantes internes de l'œuvre.

LE PARADIGME IDENTITAIRE
ET LA LECTURE FÉMINISTE

Si l'influence du structuralisme dans la critique littéraire s'étend au-delà des années 1970, les préoccupations méthodologiques le cèdent à des questions de contenu. On perçoit bien, dans les travaux universitaires, une concurrence d'intérêt pour les propriétés formelles et les considérations thématiques et une importance accrue de celles-ci dans les deux dernières décennies. En particulier, des mouvements d'idées importants ont renouvelé les questionnements sur l'éthique et le politique et sur le sujet intime et social. De nouveaux paradigmes critiques – appelés souvent poststructuralistes – se sont élaborés dans leur foulée, intégrant, entre autres, des travaux sur l'énonciation et sur l'autobiographie. Dans le cas de *Bonheur d'occasion*, deux orientations de lecture me paraissent particulièrement significatives durant cette période. Ce sont le paradigme identitaire et le féminisme, que j'évoquerai brièvement par deux exemples.

Le paradigme identitaire – devenu relativement important après 1980 – a eu, en fait, peu de représentants dans la critique de ce roman. La lecture singulière de Dennis Drummond (1986) mérite néanmoins l'attention pour ses présupposés. Son article porte sur le thème de « l'autre » qu'il étudie à travers la perception (le regard essentiellement) de l'autre chez les personnages de Florentine et Jean. Selon lui, *Bonheur d'occasion* n'est pas uniquement un document sociologique. Il soutient que le roman exprime une philosophie existentialiste et que les personnages y trouvent une « identité d'occasion » ; ils cherchent à correspondre, en quelque sorte, à la perception ou même aux attentes de l'autre. La référence à l'existentialisme sartrien paraît dépassée, mais ce qui compte ici est la démarche qu'elle cautionne. Le modèle philosophique s'impose à ce lecteur comme un cadre interprétatif. Il fait voir autrement le roman, plus précisément comme la relation d'une aventure individuelle plutôt que comme la dénonciation d'un déterminisme social. C'est un renouvellement de perspective en regard de la sociologie mais également par rapport à l'analyse psychologique d'un Bessette.

Le féminisme propose à son tour un autre cadre de référence et une nouvelle perspective de lecture. Mieux représenté que le paradigme identitaire, avec lequel il partage certaines questions fondamentales – une légitimité de la différence, un droit à la parole, etc. –, le point de vue féministe a été déterminant sur la valeur actuelle de l'œuvre de Gabrielle Roy. Je ne retiendrai qu'un cas tout à fait exemplaire, soit l'analyse qu'en a proposée Patricia Smart. Pour elle, *Bonheur d'occasion* est à la fois une œuvre d'émotion et un roman d'idées. C'est surtout une dénonciation. Smart fait ressortir la « signification politique radicale du roman » et la « vision féminine, sinon féministe » qui le traverse en l'inscrivant dans une durée et un espace littéraires. Les comparaisons mettent ainsi en évidence une position esthétique novatrice. Smart écrit :

> *Pouvoir imaginer Rose-Anna Lacasse capable de colère, et même de haine – elle, la mère douloureuse dont l'instinct de vie est l'énergie génératrice de* Bonheur d'occasion *– c'est se rapprocher de la signification politique radicale du roman. Vision féminine, sinon féministe, qui par son insertion dans le cadre du réalisme parvient à rendre explicite la dimension politique qui était déjà implicite dans l'écriture de Laure Conan, Germaine Guèvremont et Anne Hébert* (1990 : 200).

D'après Smart, l'écriture de Gabrielle Roy conduit à un nouveau réalisme, un

> [r]*éalisme au féminin, donc, présenté à travers la perspective d'une narratrice qui, plutôt que de ressembler au « Dieu le père » auquel on a tendance à comparer le narrateur omniscient du réalisme masculin, est bien évoquée par l'image que Rose-Anna Lacasse se fait de Dieu* (p. 201).

Cette vision particulière échapperait alors aux catégories habituelles « masculines », ce qui expliquerait l'incompréhension de Laflèche : « Ne sachant plus "que penser" devant la "focalisation multiple et variable" du récit, ce lecteur masculin adopte une stratégie d'attaque virulente contre le roman » (p. 207). Il appelle « confusion » ce que Smart identifie comme une « émotion », laquelle traverse tout le roman et se manifeste notamment par « la multiplicité des sauts de perspective permis par le style indirect libre » (p. 206). Au total, la lecture de Smart est une recherche de la « vision de femme » (p. 208) qui conduit le roman et lui donne son sens « radical ». L'œuvre est ainsi passée en revue dans quelques-uns de ses aspects thématiques et formels : la relation entre mère et fille, la maternité, le rôle de la femme dans le jeu de la séduction, l'importance de la parole, etc. Smart observe que Florentine est « [l]a première fille dans le roman québécois à ne pas être orpheline de mère » (p. 216), mais le temps de la solidarité entre la fille et la mère n'était vraisemblablement pas encore arrivé. En regard du texte québécois « global », le roman représente une avancée remarquable, notamment par le devenir du héros féminin :

> *Presque contre son gré,* [Florentine] *sera obligée d'évoluer d'objet en sujet, de passer de la relation destructrice avec Jean Lévesque à un amour/ amitié avec Emmanuel Létourneau, annonceur dans le texte québécois de la « bonne nouvelle » d'un nouveau rapport possible entre la femme et l'homme* (p. 215).

Il n'est pas indifférent que les événements soient relatés par une narratrice : les rapports amoureux et le jeu de la séduction y sont présentés sous un autre jour, « à l'opposé du stéréotype patriarcal du pouvoir de la femme-séductrice » (p. 221). En somme, le roman constitue une étape dans l'histoire des femmes et dans l'histoire de la littérature québécoise, tant sur le plan des contenus que sur celui de la voix narrative. La lecture féministe de Smart se fonde sur une hypothèse forte qui fait participer chaque unité du texte à une dénonciation sociale. L'analyse contribue évidemment à étayer la thèse centrale de l'essai de Smart. Dans le cas de *Bonheur d'occasion*, on retrouve la fonction de plaidoyer pour une amélioration des conditions de vie que Richer attribuait à l'œuvre, quelque quarante-cinq ans plus tôt.

*
* *

Les lectures successives de *Bonheur d'occasion*, comme de tout texte littéraire, se rattachent inévitablement au développement des connaissances et des mentalités, mais elles ne se réduisent pas aux dominantes idéologiques. On y trouve bien plutôt des signes de concurrence, d'opposition et de marginalisation qui relèvent des individus lecteurs, des conditions de leur pratique et de leurs fonctions professionnelles ou qui ressortissent à un état de la critique et de la littérature. En outre, ce sont des résultats singuliers qu'une étude comme la mienne fait apparaître. Leur généralisation commanderait l'analyse comparée des lectures de plusieurs œuvres, ce qu'implique le projet d'une histoire de la lecture littéraire (Roy, 1998b). Il est permis de dégager, néanmoins, un parcours de la lecture du roman à partir des documents critiques examinés ici.

Les stratégies de lecture et les statuts de l'œuvre peuvent être définis en fonction des cinq sections précédentes. Les premières lectures mettent en évidence une stratégie de questionnement où la critique fait généralement montre de bienveillance. Quelques lettres dans les journaux et la critique de Hertel constituent des exceptions à cet égard. Plus généralement, on avance des hypothèses d'interprétation et des considérations contextuelles (sociales, économiques, etc.) qui servent à établir la valeur de plaidoyer ou de témoignage de l'œuvre et à en faire un document social ou un roman de mœurs. Est abordée déjà la question de sa place dans le paysage littéraire québécois. L'opposition de vues entre Léger et Legrand ne rend pas compte de toutes les lectures suivantes, mais elle indique la possibilité d'une autre stratégie de lecture même après que le roman eut remporté le Prix Fémina. On y découvre une attitude polémique qui aura peu de suites mais qui est révélatrice : la critique elle-même devient un enjeu de la lecture. Quant au statut de l'œuvre de Gabrielle Roy, il s'enrichit du sens d'un « inventaire » et d'un « *acte* de notre évolution culturelle » (Marcotte, 1950 : 206).

Les lectures universitaires du roman adoptent, par principe, une stratégie d'analyse manifeste. Elles procèdent également par la vérification d'hypothèses. Les premières portent attention à la cohérence et à la dynamique interne ainsi qu'à la référence sociohistorique et à l'inscription sociale. Bessette, pour sa part, observe l'invraisemblance de la psychologie. De façon générale, le questionnement critique met alors en équilibre la valeur de l'imaginaire et la valeur documentaire. Tout à fait singulière, l'étude critique de Laflèche illustre une double stratégie d'analyse et de polémique. Là aussi, l'enjeu n'est pas seulement la lecture du texte littéraire mais bien plus l'opposition à la critique institutionnelle. Par le recours à divers schèmes d'intelligibilité (modèle narratif, métatexte critique, etc.) l'étude fait ressortir le sentimentalisme du texte, ce qui en fait l'équivalent d'un roman-feuilleton. Enfin, les dernières lectures critiques retenues proposent un renouvellement de perspective à partir de thèses clairement énoncées (l'existentialisme et le féminisme). Les démarches d'analyse interne et externe font apparaître la valeur de témoignage et de plaidoyer du roman. On n'est pas loin d'un retour aux toutes premières significations attribuées au roman de Gabrielle Roy.

La plus évidente des transformations dans la lecture critique, entre 1945 et 1990, est le développement d'un champ de spécialisation. Avec l'influence des travaux universitaires, l'effet immédiatement visible est le passage de la glose à l'analyse. Mais c'est un effet extrêmement général, mesuré d'après les systèmes de références et les méthodes d'explication des textes. Les lectures analytiques n'excluent pas nécessairement les paraphrases, commentaires, digressions et jugements de toutes sortes. Dans l'article de Laflèche, par exemple, le structuralisme soutient un principe d'objectivité que contredit l'attitude critique. Plus généralement, la critique universitaire signifie moins l'abandon que la régulation des visées interprétatives, ce que peut illustrer la proximité entre les interprétations de Laflèche et de Léger, puis entre celles de Smart et de Richer. Le roman y est un feuilleton populaire ou un plaidoyer pour un mieux-être collectif. D'un registre à un autre, l'argumentation emprunte des voies bien différentes, mais les conclusions sont voisines. Hormis des études singulières, comme celle de Brochu qui insiste sur *sa* pratique de lecture, justement, il appert que l'on débat souvent les mêmes questions ou à peu près : la vraisemblance des personnages, la cohésion du roman, la position narrative, entre autres. Aurait-on tout dit sur *Bonheur d'occasion* ? Les lectures antérieures en auraient-elles fixé globalement le sens ? En auraient-elles programmé les modes d'appropriation ? On répondra par la négative bien sûr, tout en reconnaissant l'importance des questionnements, hypothèses et jugements qui accompagnent désormais le texte romanesque. C'est peut-être aussi en cela qu'il constitue une *œuvre*.

BIBLIOGRAPHIE

ALAIN, Albert (1945), « *Bonheur d'occasion* », *Le Devoir,* 15 septembre, p. 8.

BESSETTE, Gérard ([1952] 1967), « *Bonheur d'occasion.* Étude de Gérard Bessette », dans Roland M. CHARLAND et Jean-Noël SAMSON (dir.), *Gabrielle Roy,* Montréal, Fides, p. 22-30. [Article paru initialement dans *L'Action universitaire,* vol. 18, nº 4, juillet 1952, p. 53-74 ; repris dans Gérard Bessette, *Une littérature en ébullition,* Montréal, Éditions du Jour, 1968, p. 219-238.]

BLAIS, Jacques (1970), « L'unité organique de *Bonheur d'occasion* », *Études françaises*, vol. VI, nº 1, février, p. 25-50.

BROCHU, André ([1964] 1974), « Thèmes et structures de *Bonheur d'occasion* », dans André BROCHU, *L'instance critique. 1961-1973,* Montréal, Leméac, p. 206-246. [Paru d'abord dans *Écrits du Canada français*, nº 22, 1966, p. 163-208.]

CHARLES, Michel (1995), *Introduction à l'étude des textes,* Paris, Éditions du Seuil. (Coll. « Poétique ».)

DRUMMOND, Dennis (1986), « Identité d'occasion dans *Bonheur d'occasion* », dans *Solitude rompue,* textes réunis par Cécile Cloutier-Wojciechowska et Réjean Robidoux en hommage à David Hayne, Ottawa, Éditions de l'Université d'Ottawa, p. 85-102.

DUHAMEL, Roger ([1945] 1966), « *Bonheur d'occasion* », dans Gilles MARCOTTE, *Présence de la critique. Critique et littérature contemporaine du Canada français,* Montréal, HMH, p. 43-46. [Paru d'abord dans *L'Action nationale*, vol. 26, nº 2, octobre 1945, p. 137-142.]

FISH, Stanley (1980), *Is There a Text in This Class ? The Authority of Interpretive Communities,* Cambridge/London, Harvard University Press.

FORTIN, Nicole (1994), *Une littérature inventée,* Québec, Presses de l'Université Laval. (Coll. « Vie des lettres québécoises ».)

GARNEAU, René (1945), « Du côté de la vie âpre. *Bonheur d'occasion* par Gabrielle Roy », *Le Canada,* 6 août, p. 5.

GERVAIS, Bertrand (1993), *À l'écoute de la lecture,* Montréal, VLB éditeur. (Coll. « Essais critiques ».)

HERTEL, François (1946), « La grande littérature et la petite littérature », *Amérique française,* vol. 5, n° 7 (août-septembre), p. 46-48.

JAUSS, Hans Robert (1988), *Pour une herméneutique littéraire,* Paris, Gallimard. (Coll. « Bibliothèque des idées ».)

LAFLÈCHE, Guy (1977), « Les Bonheurs d'occasion du roman québécois », *Voix et images,* vol. III, n° 1 (septembre), p. 96-115.

LÉGER, Jean-Marc (1948), « Pour l'amour de la littérature. En marge de "*Bonheur d'occasion*" », *Le Quartier latin,* 3 février, p. 4.

LEGRAND, Albert (1948), « En marge de "*Bonheur d'occasion*". Pour l'amour de la littérature », *Le Quartier latin,* 20 février, p. 2.

LEMIRE, Maurice (1969), « *Bonheur d'occasion* ou le Salut par la guerre », *Recherches sociographiques,* vol. X, n° 1 (janvier-avril), p. 23-35.

MARCOTTE, Gilles (1950), « En relisant "Bonheur d'occasion" », *L'Action nationale,* vol. 35, n° 3 (mars), p. 197-206.

MAULNIER, Thierry (1948), « *Bonheur d'occasion* », *Hommes et mondes,* vol. V, nº 18 (janvier), p. 136-137.

MELANÇON, Joseph (dir.) (1996), *Le discours de l'université sur la littérature québécoise,* Québec, Nuit blanche éditeur. (Coll. Les Cahiers du CRELIQ, série « Recherche ».)

POPOVIC, Pierre (1996), *Entretiens avec Gilles Marcotte,* Montréal, Éditions Liber.

RICARD, François (1975), *Gabrielle Roy,* Montréal, Fides.

RICHER, Julia (1945), « Un grand roman. *Bonheur d'occasion* », *Le Bloc,* 18 juillet, p. 5.

ROY, Max (1996a), « L'espace du texte dans la critique universitaire de la littérature québécoise (1920-1984) », dans Joseph MELANÇON (dir.), *Le discours de l'université sur la littérature québécoise,* Québec, Nuit blanche éditeur, p. 113-182. (Coll. Les Cahiers du CRELIQ, série « Recherche ».)

ROY, Max (1996b), « La lecture critique : entre la rhétorique et l'histoire », *Tangence*, « Paradigmes critiques », nº 51 (mai), p. 28-50.

ROY, Max (1998a), *La littérature québécoise au collège (1990-1996),* Montréal, XYZ éditeur. (Coll. « Documents ».)

ROY, Max (1998b), « Le projet d'une histoire de la lecture littéraire au Québec », *Litteraria Pragensia*, Prague. À paraître.

SMART, Patricia (1990), « Quand les voix de la résistance deviennent politiques : *Bonheur d'occasion* ou le réalisme au féminin », dans Patricia SMART, *Écrire dans la maison du père. L'émergence du féminin dans la tradition littéraire du Québec*, Montréal, Québec/Amérique, 2e éd. revue et augmentée, p. 197-233. (Coll. « Littérature d'Amérique ».)

LECTURE LIBRE

Micheline Cadieux

LE PARCOURS D'UNE SCÉNARISATION.
DOCUMENTAIRE SUR GABRIELLE ROY[1]

Récipiendaire de nombreux prix et médailles, acclamée à travers le monde, lue par des millions de personnes, Gabrielle Roy est depuis longtemps un écrivain connu et reconnu. Je la « fréquente[2] » depuis longtemps déjà. J'ai fait des études en littérature, et mon mémoire de maîtrise porte plus

---

1. Lorsque j'ai présenté cette communication au séminaire sur *Bonheur d'occasion* dirigé par Marie-Andrée Beaudet, le documentaire *Gabrielle Roy* n'avait pas encore été filmé. Les participants avaient tout de même reçu un extrait de la dernière version en date du scénario. Depuis, Léa Pool, réalisatrice du documentaire, a contribué à la scénarisation dans une version dite « de tournage », d'où la mention de coscénarisation qui apparaît au générique. La biographie écrite par François Ricard (1996) n'avait pas non plus encore paru, mais j'avais rencontré l'auteur qui, en tant que responsable administratif du fonds Gabrielle-Roy, a reçu une copie de toutes les versions du scénario.

2. J'emploie le verbe fréquenter dans le même sens que Pierre Morency, un écrivain et un ami de Gabrielle Roy que j'ai interviewé pour ce documentaire, qui disait que lui et elle « cohabitaient bien » dans la maison de Petite-Rivière-Saint-François où il était allé écrire pendant un temps,

précisément sur son autobiographie *La détresse et l'enchantement*. J'ai aussi contribué au film et à la série *Bonheur d'occasion*.

À la question « Pourquoi écrire un documentaire, alors ? », je pourrais répondre que j'ai mis ce projet en branle pour en finir avec Gabrielle Roy. Je pourrais ajouter que cela n'a fonctionné que provisoirement. Mais ces motifs d'ordre personnel ne justifient pas la production d'un documentaire. Sur un plan plus général, c'est une question sur la création que j'ai adressée à cet auteur. Je souhaitais mettre au clair la part de mystère qui règne dans son œuvre autour de la création et de l'écriture. Il m'est apparu que Gabrielle Roy était aux prises, d'une manière particulière, avec la transformation de la mort en vie. Et j'ai émis l'hypothèse que cette manière en avait fait une des figures de proue du milieu littéraire québécois. J'ai pris le parti – et là réside le pari de ce scénario – de donner accès aux domaines de la littérature et de la création, par le cinéma, pour leur offrir un autre éclairage.

Au lieu de parler du documentaire qui, une fois terminé, est avant tout un film, que chacun peut regarder[3], je m'attarderai à la phase prépara-

---

plusieurs années après la mort de Gabrielle Roy. Il n'était pas certain, avant d'y aller, que la présence de Gabrielle Roy ne le dérangerait pas, au point de l'empêcher d'écrire.

3. En mars 1998, le film a été projeté à la Bibliothèque Gabrielle-Roy de Québec, et je fus invitée à répondre aux questions de l'assistance ; il a été diffusé – le 14 mars 1998 –

toire au tournage, la scénarisation, par le biais de mon scénario que je rapprocherais volontiers d'une fiction. Pourquoi ? Pour au moins deux motifs. D'une part, je ne crois pas à une réalité hors de la fiction. C'est une des leçons que les Québécois peuvent tirer de leur tradition documentaire dite du « direct », dans ses meilleures productions. D'autre part, c'est la formule qui s'est imposée, et que j'ai trouvée la plus juste pour introduire à un univers de fiction, avec les impératifs particuliers à celui de Gabrielle Roy.

Il s'agit de fouiller la vie et l'œuvre de Gabrielle Roy pour y découvrir comment son univers s'est mis en place et comment l'écriture a pris la part exigeante qui lui était due, d'où la primauté que j'ai accordée au tandem écrivain-création plutôt qu'à celui personne-vie. C'est un choix que l'auteur prônait et que j'entérine :

> *Le devoir d'un écrivain, c'est d'écrire. Ce sont ses livres qui parlent pour lui. Il n'a nul besoin de payer de sa personne, de se produire à la télévision et de raconter par le menu sa vie privée.*

---

sur le réseau de Télé-Québec – et sur plusieurs autres chaînes, en français et en anglais – ; il a reçu le Prix Rockie de la meilleure émission historique et biographique, « pour le compte rendu hautement poétique de la vie de Gabrielle Roy », au Festival de télévision de Banff, en juin 1998 ; toujours en juin 1998, il a reçu un des prix Téléfilm Canada qui récompensent les meilleures émissions en langues française et anglaise ; en septembre 1998, il a reçu le Prix Gémeau du meilleur documentaire.

> *C'est une manie des latins que de vouloir exhiber les romanciers... manie qui est, d'ailleurs, nuisible à leur travail. Car dès qu'ils deviennent trop connus du public, ils ne peuvent plus avoir le même contact avec les autres êtres. On les pointe du doigt, on s'écarte sur leur passage et on les traite comme des monstres sacrés. Leurs relations avec leur entourage sont faussées. Et, petit à petit, certains écrivains finissent par considérer cette adulation comme une sorte d'opium sans lequel ils ne peuvent plus avoir confiance en eux-mêmes. J'ai connu cela une seule fois, à Paris et j'ai eu peur...* (Parizeau, 1967)

Que veut dire écrire, raconter, pour quelqu'un qui en a fait l'expérience jusqu'à y dévouer sa vie? Comment Gabrielle Roy a-t-elle créé un monde à la fois si personnel et dans lequel tant de lecteurs ont pourtant su se retrouver? Si une telle notoriété et une telle popularité lui ont été accordées, c'est probablement que ses livres, son œuvre, ce pont jeté entre l'écrivain et ses lecteurs, ont atteint leur but. Sur ces questions, j'ai proposé de faire témoigner Gabrielle Roy. Ce témoignage est balisé par les paramètres de la scénarisation : recherche, structure, histoire, personnages, lieux et décors, style, traitement cinématographique, et un développement spécifique à *Bonheur d'occasion.*

PARAMÈTRES DE LA SCÉNARISATION

RECHERCHE

Un scénario naît très modestement d'un désir. J'ai proposé à une maison de production[4] le projet d'un documentaire sur Gabrielle Roy, dont le moteur était une interrogation sur la dynamique création-écriture et dont le style relevait du *road movie*. Une fois les fonds de développement obtenus, je suis passée à la phase de recherche qui vise à trouver des matériaux pouvant servir à la construction du documentaire. J'ai été appelée alors à faire un « long voyage » : plonger dans l'univers de création de Gabrielle Roy, là résidait l'enjeu principal à cette étape. C'est d'abord et avant tout grâce à ce qu'elle en a dit, dans sa vie et dans son œuvre, que ma réflexion a été alimentée.

J'ai relu en entier l'œuvre publiée de Gabrielle Roy pour y relever les phrases qui concernaient la création ou l'écriture, et pour en extraire une banque de notations visuelles et auditives, ainsi qu'une banque de lieux et de personnages en vue du tournage. J'ai aussi visionné ou écouté presque tout ce qui s'est fait sur Gabrielle Roy et son œuvre et qui est disponible au Canada, sous forme d'archives, de films, de vidéos, de bandes sonores : par exemple, les adaptations *(Bonheur d'occasion/ The Tin Flute, Le vieillard et l'enfant/The Old Man*

---

4. Les Productions de l'Impatiente, à Montréal.

and the Child) ; le documentaire *Une âme sans frontières,* qui trace à grands traits un portrait de l'écrivain ; des émissions de télévision et de radio, dont l'entrevue par Judith Jasmin dans la série *Premier plan* – la seule à laquelle l'auteur a accepté de participer – ; *La période londonienne* qui nous offre le plaisir d'entendre Esther Perfect chez qui Gabrielle Roy a séjourné en Angleterre ; *Les visages de Gabrielle Roy* et *Les chemins de l'imaginaire,* réalisées respectivement avant et après la mort de l'écrivain ; des émissions sur la littérature en général ; des entrevues avec des spécialistes ; et j'en passe.

J'ai obtenu la permission de consulter le fonds Gabrielle-Roy, situé à la Bibliothèque nationale du Canada et constitué principalement des archives de l'auteur, ainsi que plusieurs autres fonds – ceux de Jeanne Lapointe, de Cécile Chabot, de Joyce Marshall ou de Margaret Laurence, par exemple –, moins importants ceux-là quant à la quantité d'informations sur Gabrielle Roy mais qui valent pour leurs correspondances. Il me fallait évaluer si ces fonds contenaient suffisamment de matériel, informatif mais, surtout, visuel, sur lequel le documentaire puisse prendre appui.

J'ai établi une liste d'intervenants, assez longue quoique non exhaustive. Ils ont été retenus pour m'aider à explorer diverses facettes de l'auteur. Certains l'ont connue personnellement ; d'autres sont des spécialistes qui ont occupé une fonction auprès d'elle ; d'autres encore sont de ses lecteurs tout simplement : son biographe, François Ricard ; des membres de sa parenté ; d'anciens élèves de Cardinal, village du Manitoba ; des collègues de travail lorsqu'elle enseignait ; des professeurs et chercheurs qui l'ont fréquentée ; des écrivains et fervents admirateurs ; des amis ; des éditeurs, etc. Je les ai contactés, leur ai parlé, ai tenté de susciter leur confiance et leur intérêt pour le projet ; je les ai rencontrés et interviewés.

Afin de m'en imprégner, j'ai sillonné le terri-toire de Gabrielle Roy, les lieux dont ses livres parlent et ceux où elle a vécu ; ils coïncident pour la plupart : le Manitoba – Saint-Boniface et la cam-pagne environnante – ; Petite-Rivière-Saint-François et la région de Charlevoix ; la ville de Québec, autour du Château St-Louis – où elle résidait – et des plaines ; Ville La Salle ; le quartier Saint-Henri, à Montréal.

Bref, faire la recherche pour ce documentaire a consisté à marcher dans les traces de Gabrielle Roy ; à aller à la rencontre des gens qui l'ont connue ; à explorer les lieux qui l'ont façonnée ; le tout guidé par son écriture qui demeurait mon intérêt premier. Et ce cadre, qui s'est imposé dès le début du projet, qui a enclenché et orienté la re-cherche, s'est ensuite précisé et renforcé pendant la première phase de scénarisation.

Ainsi, j'ai pu constater que les mots de Ga-brielle Roy modelaient ma vision de l'ouest manitobain :

> *Mes amours d'enfance, c'est le ciel silencieux de*
> *la plaine s'ajustant à la douce terre rase aussi*
> *parfaitement que le couvercle sur le plat entier... ;*
> *c'est la silhouette particulière, en deux pans, de*
> *nos silos à céréales... ; ce sont les mirages de ces*
> *journées torrides... ; ce sont les petits groupes*
> *d'arbres, les* bluffs *assemblés comme pour causer*
> *dans le désert du monde...* (Roy, 1978a : 156-
> 157).

Et quand ma vision semblait différente de la sienne, j'ai régulièrement découvert que seuls le déplacement et la substitution, qui relèvent des processus créateurs, avaient modifié les choses. Il en fut de même dans mes tentatives de retracer Médéric ou les collines de Babcock. Là encore, l'écriture de Gabrielle Roy demeurait le guide me permettant de les retrouver dans une autre réalité extérieure.

Au terme de cette recherche qui s'est étendue sur plusieurs mois, vint le travail de scénarisation proprement dit, soit l'organisation du matériel dans une histoire structurée, avec des personnages, des décors, et intervinrent les choix qui pouvaient rendre compte au plus près de ma visée première.

STRUCTURE

Quelle charpente construire pour un voyage dans la création à travers l'œuvre, la vie, les lieux, les personnages, les mots et l'inspiration de Gabrielle Roy ? Un premier choix de structuration s'est joué autour de l'axe biographique, ou chronologique, dont j'avais marqué quelques jalons entre

1909 et 1983 – dates de la naissance et de la mort de l'auteur. En voici un extrait :

> *Saint-Boniface : petite ville française perdue dans l'Ouest. 1909 : Gabrielle Roy y naît le 22 mars. Elle est la cadette de Léon Roy et Mélina Landry. Ses parents sont âgés ; ils ont respectivement 58 ans et 42 ans. Ses grands-parents paternels et maternels avaient quitté les Laurentides de leur Québec natal pour répondre à l'appel de la colonisation ; subsiste dans sa mémoire ce passé de nomade, un déchirement entre la montagne et la plaine. 1912 : elle a 3 ans. Au bout de la rue Deschambault, l'univers commence : l'immensité de la plaine comme la hauteur infinie du ciel la fascinent. L'espace, littéralement, frappe à sa porte[5].*

Une première moitié prenait sa source avant même la naissance de Gabrielle Roy et se poursuivait jusqu'à *Bonheur d'occasion* environ, période que je résumais sous le vocable « route *vers* l'écriture ». Une seconde moitié constituait la « route *dans* l'écriture », avec les récits publiés après la mort de l'auteur. Ces deux parties se voulaient un seul parcours, une même quête. Pourtant, la linéarité de l'ensemble l'emportait et divisait ces deux tranches en deux films : l'histoire de Gabrielle Roy et l'histoire de ses livres.

Après une ou deux tentatives de réaménagement de cette première structure, j'ai opté pour

---

5. Voir les lieux-frontières à la page 250 du présent texte.

une nouvelle structure[6] qui épousait l'itinéraire de l'auteur d'un livre à l'autre. Je faisais ainsi crédit à la logique interne de la création d'avoir déterminé la suite des livres dans leur écriture. Sur le plan de la temporalité, il en résulte plusieurs allers-retours dans le passé, ce qui peut dérouter l'éventuel spectateur, d'où la nécessité d'une relève. C'est le style de type *road movie* et ce qu'il implique de métaphore autour du déplacement qui lie l'ensemble. J'ai développé l'idée d'un voyage tant intérieur qu'extérieur et je l'ai concrétisée en lui octroyant une durée qui rend compte de l'avancée de Gabrielle Roy vers l'horizon final qui l'a tellement fascinée et qu'elle a tant cherché. Elle écrivait :

> *Au Manitoba, il n'y a vraiment plus pour m'y retrouver [...] que les petites routes de section, à plat sous le ciel démesuré, [...] en tête-à-tête avec l'horizon parfaitement silencieux. [...] Je pars, tout de même allégée, marchant vers le grand rougeoiement du fond de la plaine, tout au bas du ciel [...]. Alors il arrive, pendant quelques instants, que j'aie [...] le cœur extasié* (Roy, 1984 : 132-133).

Un des titres provisoires du documentaire a été « Chercheur d'horizon ».

---

6. Le scénario de tournage, dont Léa Pool et moi avons longuement discuté, amalgame les deux propositions de structure.

HISTOIRE

Le scénario du documentaire se profilant maintenant en un voyage à la fois réel et imaginaire, il reste à savoir si cette structure permet de raconter une histoire, avec une ligne de parcours qui tourne autour des rapports de Gabrielle Roy à la création et à l'écriture. Là non plus, rien ne va de soi. Divers problèmes ont surgi ; diverses solutions ont été apportées.

Jusqu'à *Bonheur d'occasion,* il est facile de monter une histoire, le type d'histoire qui correspond aux trajets héroïques où le personnage cherche ce qu'il veut devenir, trouve et parvient à se réaliser. Après *Bonheur d'occasion,* les débats quant à l'écriture prennent une forme plus intériorisée. Il n'est plus possible d'accorder de la même manière la vie de l'écriture à une vie d'héroïne. Non que les indications biographiques dont Gabrielle Roy fait état ou que la recherche fournit, peu nombreuses, soient insuffisantes, c'est plutôt qu'elles ne correspondent pas à de telles normes de scénarisation. Raconter une histoire implique une dramatisation, et une difficulté importante dans la scénarisation de ce documentaire résidait dans une limite à ne pas franchir : celle d'imposer au documentaire une histoire dramatisée qui renierait ce qui constitue les enjeux mêmes de l'écriture chez Gabrielle Roy.

La scénarisation affronte alors directement le style de Gabrielle Roy : après *Bonheur d'occasion,* l'histoire comporte très peu d'actions et de conflits à résoudre. Tout réside dans la manière d'extirper les matériaux. Par exemple, quelles mises en situation peuvent traduire l'acte d'écrire ? Mettre en scène l'écrivain, jouée par une comédienne, dans des salles de travail ne suffit pas à faire entrer le spectateur dans son univers. Quels éléments biographiques retenir ? Sélectionner prioritairement ceux que Gabrielle Roy a placés dans ses livres : jalons biographiques et autobiographiques. Comment en intégrer d'autres ? En s'attachant aux rapports qu'ils entretiennent avec l'écriture.

D'où le choix de commencer par le départ de Gabrielle Roy pour l'Europe, car il correspond au début de l'écriture. On sait qu'alors que sa vie semblait toute tracée – métier d'institutrice, théâtre en amateur et soins à sa mère âgée –, quelque chose s'agite en elle qui mine sa tranquillité et la pousse à tout quitter. Elle s'embarque pour les vieux pays sous prétexte qu'elle veut aller y étudier le théâtre. Malgré les réelles occasions qui se présentent, elle ne poursuit pas sur sa lancée. Elle sillonne villes et campagnes, parfois sans autre but que d'avancer. Elle regarde et écoute. Au terme de deux ans de parcours et d'errance, elle n'aura qu'une seule certitude : devoir écrire. Bien sûr, on pourrait dire que dès l'enfance Gabrielle Roy a écrit. Mais cet aspect anecdotique ne revêtira quelque importance qu'après coup, lorsqu'elle aura vraiment fait ses preuves. Et il semble que ce soit au prix de la rupture. D'où la décision de Gabrielle

Roy de s'installer à Montréal lors de son retour au Canada, alors qu'elle pouvait retourner à Saint-Boniface, retrouver sa famille et réintégrer son poste d'institutrice.

Le scénario est du coup devenu l'histoire de ce que Gabrielle Roy appelait sa « vocation », vocation qu'elle ne cessait d'essayer de comprendre tout en s'en tenant à distance. « Mais toujours, toujours, je n'en étais qu'au commencement. Ignorant encore qu'il n'en pourrait jamais être qu'ainsi dans cette voie que j'avais prise… » (Roy, 1985 : 254-255). Des extraits d'un entretien[7], intitulé « A Bird in the Prison Window », qu'elle a accordé à Donald Cameron, nous donnent cependant des précisions sur cette vocation :

> *Really it's a strange sort of life. Perhaps it is that we lead that life because we couldn't lead the ordinary life of others, through some sort of mysterious handicap or infirmity, or perhaps some mysterious something-more, I don't know* (1973 : 133).

7. Gabrielle Roy était attachée également au Québec et au Canada, et sa notoriété est partagée tant au Canada qu'au Québec. Conséquemment, ce documentaire a été conçu pour être tourné en langue française et en langue anglaise, et il a été coproduit par une compagnie québécoise et une compagnie manitobaine. De même, je prends le parti de laisser les mots de l'auteur dans la langue où ils ont été prononcés. Cette remarque vaut pour les autres citations en langue anglaise.

> *It's a readiness. It's not voluntary ; it's not a deliberate act – I'll go there and I'll write a book. That's the last thing I could do. But it's a readiness, an openness, you might say* (p. 139).

> *Anyhow, the books have come to me like that and I couldn't do anything about it. I don't wish to have anything to do with choosing ; it's hard enough to follow the command or whatever it is that you get... I receive an order, and I try to fill it out. The order is not anything vulgar, or anything cruel, or anything harsh. It's something quite beautiful and tender, but it has to be obeyed just the same* (p. 132).

Le pari à tenir lors de la scénarisation, c'est que cet univers d'écriture suffise. Et pour le représenter, il faut faire jouer en les combinant les autres éléments cinématographiques d'un documentaire (entrevues, lieux, archives et traitement). Il devient alors possible de penser que les temps forts du trajet de type *road movie* sont marqués par des arrêts dans le mouvement, ou que les entrevues avec les divers intervenants servent de contrepoints au déroulement, alors que le matériel d'archives tend à se fondre dans le tournage actuel au lieu de faire coupure, afin de raconter une histoire qui conjoigne passé et présent.

PERSONNAGES

On l'aura compris, il ne s'agit pas, dans ce documentaire, de répondre à la question : « Qui est la vraie Gabrielle Roy ? » Je n'avais pas de prétention biographique. J'ai privilégié l'œuvre. Pourquoi ? J'ajouterais une raison simple à ce que j'ai déjà dit : sans sa production, personne d'autre que son entourage ne parlerait aujourd'hui de Gabrielle Roy. C'est sa production qui survit au temps. Par conséquent, j'ai préféré faire entrer dans son monde, ce monde par lequel elle s'est créé un nom et une renommée. En ce sens, c'est son univers qui devient le personnage principal du documentaire. Et c'est Gabrielle Roy personnage-écrivain qui le met de l'avant, qui l'alimente à ce qui est connu de la vie de l'auteur et à l'univers de ses livres. Car elle n'a eu de cesse de « voyager » entre la fiction et la réalité, laissant volontairement dans l'ambiguïté les frontières entre les deux univers.

Cette option, simple à formuler, n'est cependant pas facile à respecter. Elle pose, en ce qui a trait au personnage, une difficulté analogue à celle de l'histoire. D'une part, cette option va à l'encontre d'un courant dominant actuel, celui du portrait-vérité – surtout que Gabrielle Roy, en préservant jalousement sa vie privée, a piqué les curiosités[8]. D'autre part, les règles de récit existent : dès qu'on met un personnage de l'avant, on en fait un héros, qu'on le veuille ou non, même quand on lui retire ses attributs héroïques ; sans compter qu'il faut permettre au public de s'y intéresser, puisque c'est lui qui sert de phare.

---

8. Je ne fais pas état ici des difficultés à faire partager ce point de vue que plusieurs trouvaient « risqué ».

Pour maintenir l'axe de départ s'est aussi posée la question de la pertinence de faire incarner Gabrielle Roy par une comédienne. Comment faire revivre l'auteur ? Par une seule comédienne que l'on rajeunirait et vieillirait ? Ou par plusieurs comédiennes d'âges différents ? Et, de cette façon, ne se prive-t-on pas de pouvoir utiliser du matériel d'archives parce que le contraste serait trop détonnant ? Étant donné le peu d'archives visuelles, filmiques ou photographiques, le choix d'une interprète a été retenu. En outre, un écart risquait de se creuser entre la personne et le personnage, d'où la part congrue faite à cette incarnation à l'écran. Par contre, la voix qui prononce les mots de Gabrielle Roy est à souligner, d'où la possibilité de retenir une autre voix que celle de la comédienne[9]. Si elle représente Gabrielle Roy, c'est pour mieux nous faire entrer dans son univers et non pour qu'on s'attarde à son image.

Quant aux personnages de Gabrielle Roy, j'ai pris le parti de ne pas en constituer une galerie. Leur mise en forme, dans les adaptations existantes, n'a pas emporté mon adhésion, ce qui signale assez ce qu'ils doivent à l'écriture. Le scénario est tout de même peuplé de personnages dits secondaires. En effet, à partir de l'étape de la scénarisation, les témoins rencontrés lors de la recherche deviennent les personnages secondaires du

---

9. Cette modalité a finalement été retenue par la réalisation.

documentaire[10]. Pourquoi les retenir à cette étape ? Pour plus d'une raison : ces personnes ne sont pas des acteurs et, par conséquent, elles ne passeront peut-être pas à l'écran ; certains ont accepté d'être interviewés, mais ils m'ont prévenue qu'ils ne souhaitaient pas être filmés ; ils attestent d'époques différentes ou font valoir le côté contemporain de l'écrivain ; surtout, en tant qu'artistes, amis, critiques ou amateurs, ils s'expriment sur leur rencontre avec cet univers fictif et avec son auteur ; ils en disent l'effet et l'influence ou le situent dans le monde comme dans le paysage littéraire ; ils traduisent les questions, inquiétudes ou impressions des spectateurs éventuels.

En somme, ils sont requis tant pour leur point de vue subjectif qui entre en dialogue avec celui de Gabrielle Roy que pour leur contrepoids objectif. Ainsi, ce sont eux qui témoigneront de l'intérêt de Gabrielle Roy pour ces « petites gens » qui sont ses personnages ; rares sont les auteurs d'ici qui affectionnent autant leurs personnages. Un journaliste disait déjà de *Bonheur d'occasion* : « The characters, real persons every one, and not types, carry the story » (Easton, 1946).

---

10. Ces choix de scénarisation ont à être acceptés par la réalisation, à au moins deux étapes : lors du tournage et lors du montage final.

Mon personnage de Gabrielle Roy présente son univers de création en condensé, via des lieux qui correspondent à ce qu'elle a transformé de la réalité brute, des lieux qui deviennent les décors que la scénarisation se charge de faire parcourir à l'éventuel spectateur.

L'œuvre de Gabrielle Roy se partage en trois grands lieux principaux : le Québec, le Nord et l'Ouest. L'Ouest est prépondérant ; je lui ai donné cinq qualificatifs : l'Ouest de la création du monde, entre terre et eau *(La petite poule d'eau)* ; l'Ouest familier, proche, « chez nous », à hauteur d'enfant, un peu trop beau, troué de mort *(Rue Deschambault)* ; l'Ouest des voyageurs, trop large *(La route d'Altamont)* ; l'Ouest des routes perdues et des âmes solitaires *(Un jardin au bout du monde)* ; l'Ouest un peu sauvage et ouvert de la jeunesse *(Ces enfants de ma vie)*. Je pourrais leur ajouter « l'Ouest des autres » qui apparaît dans les reportages de Gabrielle Roy, la journaliste. Le Nord comporte deux facettes : le nord de la limite, un peu décharné *(La montagne secrète)* et le nord blanc *(La rivière sans repos)*. Le Québec : ville, via Saint-Henri *(Bonheur d'occasion)*, et campagne *(Cet été qui chantait)*, *Alexandre Chenevert* montrant les deux. Ces endroits sont traversés de plusieurs voies et moyens de communication : fleuve, tramway, voie ferrée, rivières, routes, fils de téléphone ou électriques.

Si on se fie aux titres des livres de Gabrielle Roy, on peut avancer que son œuvre se sépare également en lieux (*La petite poule d'eau, Un jardin au bout du monde, Ely ! Ely ! Ely !, La route d'Altamont, Rue Deschambault*, etc.) et en personnages (*Ces enfants de ma vie, Alexandre Chenevert*, etc.). L'auteur établit au fur et à mesure une sorte d'équivalence entre humains et lieux ou paysages. Ainsi, le personnage de Martha n'existe-t-il pas sans le « jardin au bout du monde » qui la présente en écriture. Gabrielle Roy tend à les confondre par le procédé appelé *pathetic fallacy* qu'elle préconisait et utilisait abondamment. Dans une lettre à Margaret Laurence, elle écrit : « One thing troubled me some as I read, it is your apparent rejection of pathetic fallacy. I use it as I breathe… Yet without pathetic fallacy you achieve a perfect accord with nature » (Margaret Laurence Papers). Cette équivalence constitue un atout qui permet à la scénarisation de tabler sur l'univers de la nature pour rendre compte de la création de l'auteur, spécialement dans le cadre d'un documentaire où les autres éléments de scénographie – décors, accessoires, costumes et maquillage – sont réduits au minimum par rapport à ceux d'une fiction. Par ailleurs, j'ai remarqué que ce que l'auteur a dit de son premier lieu d'habitation à Montréal caractérise tous ceux qui suivront :

> *I lived just at the beginning of Westmount, on the borderline of the poor and the rich. I have tried to stay always on the borderline, because that's the*

> *best place to understand. I think that it is very important to live so that your view will not be obscured* (Cameron, 1973 : 135).

Ce lieu-frontière, c'est Saint-Germain-en-Laye : sa pension se trouve à l'orée de la forêt ; Petite-Rivière-Saint-François : son chalet est bâti à la limite du fleuve et de la montagne ; Québec : son appartement se situe là où la ville arrête, en bordure des plaines. C'était déjà le cas de la rue Deschambault, tracée à la limite des champs et de la ville de Saint-Boniface.

STYLE

Le style *road movie* s'est imposé très tôt pour ce projet de documentaire. Le *road movie,* je le précise, est un genre cinématographique, au même titre que le *western,* la science-fiction ou le film d'action… Le terme a pris force avec le film *Easy Rider,* en 1969. C'est donc un genre contemporain. Une part de la recherche a aussi consisté à regarder un bon nombre de films de ce genre, en plus de visionner plusieurs documentaires et films d'art, récents et moins récents, sur des artistes, des écrivains.

J'ai relu l'œuvre de Gabrielle Roy et j'ai exploré les lieux dont elle parle à travers cette lentille, si je peux m'exprimer ainsi. Le *road movie* m'est apparu rendre compte de la forme même du cheminement de Gabrielle Roy, cet écrivain à qui l'inspiration vient dans le mouvement. Le déplacement, le voyage, la marche sont en effet intimement liés au rapport de l'auteur à sa création : c'est au cours de ses longues promenades dans la ville de Montréal qu'elle a découvert le quartier Saint-Henri et qu'a germé *Bonheur d'occasion* ; c'est au cours d'une excursion, en Europe cette fois, que lui est venue l'idée de *La petite poule d'eau*. Je pourrais multiplier les exemples. Et Gabrielle Roy, selon un immuable rituel, partira se reposer entre chaque livre – cela lui servira régulièrement d'excuse pour ne pas être présente lors de leur parution – ou pendant leur élaboration, tellement l'écriture est difficile à soutenir. Elle dira, dans son entretien avec Cameron :

> *The book is ahead of me all the time. I've got to walk and walk and walk. It's tiring. So I may end up not being able to write anymore, because either I won't be able to walk, or I'll get too tired of chasing like that. I come back from a walk with my pockets just full of little bits of paper. So naturally if I'm always walking, my characters resemble the writer in a sense… They're children of the mind, after all* (1973 : 143).

Par ce genre je cherche aussi à concilier la rigueur du documentaire classique, la richesse visuelle d'une caméra de fiction et l'exploration de l'inconnu que comporte tout *road movie*. Cette forme permet de jouer le mouvement, la métaphore du voyage dans ses ramifications et ses impacts, afin d'intégrer l'action, de scander les arrêts, de ponctuer la parole et, ainsi, de faire œuvre de solution pour équilibrer structure, histoire et personnages. Le spectateur éventuel peut alors accompagner Gabrielle Roy dans sa poursuite de quelque chose qui lui échappe et la pousse en avant, dans une quête qui se révélera sans espoir. Un autre des titres provisoires du documentaire a été « La quête d'un impossible ».

TRAITEMENT CINÉMATOGRAPHIQUE

Dans le documentaire, le son et l'image matérialisent techniquement l'univers de Gabrielle Roy. Un défi majeur du scénario consiste à transmettre autant par ce qui est dit que par ce qui est montré ; il s'agit d'allier les impératifs cinématographiques à ceux de l'écriture et de faire passer l'un par l'autre ces deux langages et ces deux médiums. Il va sans dire que cette proposition sous-jacente au scénario chevauche le terrain propre de la réalisation.

En ce qui a trait à l'image, j'ai donné la priorité à l'utilisation d'une caméra dite subjective. C'est en compagnie de Gabrielle Roy que le spectateur fait le tour du sujet de la création ; elle l'introduit à sa vision du monde et la commente. C'est dans cette perspective que chaque scène doit placer le spectateur éventuel. Au début du scénario, il part en voyage avec Gabrielle Roy et avance par la suite avec sa voix et son regard. Mouvements intérieur et extérieur se superposent. C'est elle qui tire le passé vers le présent, même si tout cela semble n'être qu'un jeu de mémoire. L'image, de ce fait, doit être vivace, fébrile parfois, grâce à une caméra qui se déplace abondamment en tournage réel. Et les archives, plutôt que de plonger le spectateur dans le passé, s'intègrent au parcours actuel, comme si Gabrielle Roy cherchait à éclairer et à révéler les avenues de la création et, en même temps, les redécouvrait pour elle-même[11]. D'où la nécessité de les filmer de manière aussi inventive et diverse que les paysages réels. La caméra ne doit se montrer différente que lors des entrevues qui, tel que je l'ai déjà mentionné, serviront de réplique ou de contrepoint à ce que Gabrielle Roy avance.

Quant au son, c'est plutôt tout un univers qu'il s'agit de constituer, composé de la voix, du bruitage et d'une musique. D'abord, la voix qui incarnera celle de Gabrielle Roy importe par ses multiples fonctions. C'est une voix dite hors-champ ou voix narrative, à éloigner pourtant le plus possible de l'effet distanciateur de la narration, pour rendre une présence. Elle doit imprimer le mouvement, diriger le regard, parler en fait, et dire plutôt que raconter. Elle fait entendre une Gabrielle Roy conteur dans la vie, un écrivain qui pratique son métier souvent au « je ». Elle cherche à traduire la matière même des mots se transformant en écriture. Cette voix est soutenue par les sons. L'œuvre

---

11. Les archives photographiques viennent combler, en quelque sorte, l'absence de l'auteur et permettent au spectateur de voir Gabrielle Roy autrement que dans les photos officielles dont elle contrôlait la sortie, refusant par exemple d'y apparaître franchement souriante.

de Gabrielle Roy recèle un nombre impressionnant de notations auditives – ainsi le vent qui, sans relâche, gémit, hurle, berce ou chante – qui s'accordent ou s'opposent aux images évoquées, augmentant leur densité émotive. Ces sons de la nature ou de la ville font office de voix-présences presque humaines. De la musique s'entremêle à la voix, au son et à l'image afin de rendre un silence qui sous-tend la transposition d'une écriture à l'autre.

À PROPOS DE *BONHEUR D'OCCASION*

Ce scénario de documentaire peut-il apporter un éclairage distinct sur le roman *Bonheur d'occasion* auquel ce séminaire est consacré ?

Pour saisir la place réelle de *Bonheur d'occasion* dans l'ensemble de la production de Gabrielle Roy, on a intérêt à partir du début de sa pratique d'écriture[12]. De retour au pays après deux ans de voyage en Europe, elle s'installe à Montréal pour gagner sa vie en écrivant. Elle rédige des nouvelles et devient journaliste. Déjà elle innove, peu dans ces historiettes souvent fort traditionnelles malgré qu'y apparaisse un talent de conteur, mais surtout dans ses reportages. À une époque où la majorité des femmes journalistes étaient affectées aux chro-

---

12. Et à lire le discours que Gabrielle Roy a prononcé lorsqu'elle a été reçue à la Société royale du Canada et qui s'intitule « Retour à Saint-Henri » (Roy, 1978b : 159-175).

niques dites « féminines », elle sillonne le Québec et le Canada, seule la plupart du temps, souvent à pied, sans s'inquiéter de sa sécurité et sans ménagement pour sa santé. Elle interviewe les grands de l'époque – dont le premier ministre Adélard Godbout –, mais aussi des pêcheurs, des draveurs, des colons, des émigrés. Pendant cinq ans, elle exerce le métier de reporter avant l'heure, mue par une énergie sans borne.

> *C'est que pour moi, les reportages ont plutôt été mon apprentissage. J'aimais les écrire tant qu'il y avait un élément humain. Ça m'a appris à regarder les faits, chose très précieuse. De l'imagination, je sentais que j'en avais assez... On était frappé par leur ton neuf, me disait-on* (Le Devoir, 30 mars 1974).

Entre la journaliste et la romancière, un trait commun se détache : la figure de la pionnière. Ce qui sur le plan de l'écriture précède et mène à *Bonheur d'occasion* demeure encore dans l'ombre. Outre ce qui a paru sous le titre *Fragiles lumières de la terre,* l'ensemble est beaucoup plus varié et permet sans contredit de conclure que *Bonheur d'occasion* ne tient pas de la génération spontanée.

Autre point : ce roman, qui est devenu un classique, a tellement fait date dans notre histoire littéraire qu'on en oublie la nouveauté qu'il a constituée, d'où l'intérêt de fouiller le matériel d'archives pour bien rendre son impact. Lors de la parution de la traduction *The Tin Flute* aux États-Unis, les journaux d'époque montrent, par exemple, un camion déambulant dans les rues de New York avec la figure de Gabrielle Roy, telle une *star* de l'époque.

Gabrielle Roy obtient alors une réussite que bien des écrivains lui envient encore. Cadette d'une famille pas très aisée, elle est projetée sur la scène littéraire internationale. *Bonheur d'occasion* est publié à près d'un million d'exemplaires. Il recevra plusieurs prix, et les droits du roman seront achetés par les Studios Universal pour une somme équivalente à trois fois ce que le père de l'écrivain a gagné durant toute sa vie. Gabrielle Roy devient la première femme à être reçue à la Société royale du Canada. Elle obtient le succès, la renommée et l'argent au terme d'une guerre dont elle dénonce les effets dans son roman. Les superlatifs s'accumulent, l'enivrent et, finalement, la jettent dans le marasme.

> *I remember when* The Tin Flute *came out in New York, there were these cocktail parties and dinners, there would be all this fuss, all this attention… and then I would go back to my hotel room, feeling utterly alone. For years, the memory of that success was awful* (Cobb, 1976).

La rencontre de Gabrielle Roy avec Saint-Henri se conclura en un pacte, pacte inaugurateur de *Bonheur d'occasion* mais qui va au-delà, comme en témoignent ses entretiens.

> *How did you come to Saint-Henri in the first place ?*

> *By* ennui, *boredom. I was very lonely in Mont-real. I practically didn't know a soul, I was a penniless free-lance writer, selling articles here and there, just enough to pay my room and eat somewhat. For human warmth I used to roam the streets, walk and walk and walk. I landed in Saint-Henri one spring night and it was just pulsing with life, because poor people, when the weather is fine, they're out on the sidewalk... They brought their chairs out and they sat there and they talked about their life, so much so that if you walked in those little streets you picked up bits of conversation here and there and in the end you had it all, without much pain, so to speak* (Cameron, 1973 : 134-135).

> *I had never seen such indigence as there was in Saint-Henri... And I never thought what I started writing would grow into a novel. Suddenly, one day it was all there (characters, theme, meaning) as a huge, hazy mass, yet with a sort of coherence already* (Hind-Smith, 1975 : 83).

Gabrielle Roy précise qu'avec Saint-Henri et *Bonheur d'occasion,* ce furent des retrouvailles, avec son pays et avec ses ancêtres.

> *I linked my life at one time with the Quebec people and it was* really *a link, you know, delibe-rately, and with love, and understanding, be-cause when I discovered the world of* Bonheur d'occasion, *it was for life. I felt tied. Although I'd been born in Manitoba and traveled all over Europe I found myself when I landed in Montreal and I discovered Saint-Henri, as it was then, along the old Lachine canal. I discovered the people that was my own, and its tragedy, and its*

> *sadness, and its gaiety too. Since then, I have tried to give it expression* (Cameron, 1973 : 134).

C'est peut-être ce qui lui a permis de mettre en place un univers qui lui vaudra beaucoup d'attachement, au Québec et au Canada, ce qui est rare chez nos écrivains, grâce à ses mots qui sont devenus ceux de chaque lecteur, d'une certaine manière. Gabrielle Roy s'est ensuite entièrement dévouée à sa mission d'écrire :

> *I think if you are a writer, sometimes you would like to stop being a writer, and you can't. I cannot look at the sky or at the river or at treetops swaying in the wind without trying to describe, for myself, just what is happening, just trying to capture the movement, or the sound, in an image that would be so perfect, hmm ? But it's not to put in a book, it's not to fit in a passage ; it's just for myself, for my own peace of mind, that I'm forever searching for an image or the right expression for just this one thing* (Cameron, 1973 : 141).

*
* *

En somme, scénariser, c'est procurer une histoire et une vision, c'est aussi donner accès et introduire dans un univers. Tout le monde connaît Gabrielle Roy, au moins de nom, au moins par un titre, souvent celui de *Bonheur d'occasion*. Peut-être même sait-on qu'elle est née au Manitoba. Mais est-il possible de débusquer l'écrivain vivant, de découvrir quel est ce souffle qui l'anime jusqu'à sa mort ? En quoi réside l'apport d'un écrivain dans le monde, et de Gabrielle Roy en particulier, qui, bien qu'elle n'ait pas fait école, a ouvert l'ère du Québec littéraire moderne ? Je souhaite que le documentaire maintenant intitulé *Gabrielle Roy* soit une voie pour en rendre compte.

BIBLIOGRAPHIE

ARTICLES ET OUVRAGES

CADIEUX, Micheline (1988), « La dette et l'écriture chez Gabrielle Roy ». Mémoire de maîtrise, Montréal, Université de Montréal.

CAMERON, Donald (1973), « A bird in the prison window », dans Donald CAMERON, *Conversations with Canadian Novalists*, Toronto, Macmillan of Canada, t. 2, p. 128-145.

COBB, David (1976), « I have, I think, a grateful heart », *The Canadian–Toronto Star*, May 1.

EASTON, Stewart C. (1946), « French canadian tale has social import », *Saturday Night*, March 2.

GAGNÉ, Marc (1973), « Jeux du romancier et des lecteurs », dans Marc GAGNÉ, *Visages de Gabrielle Roy, l'œuvre et l'écrivain*, Montréal, Beauchemin, p. 263-272.

HIND-SMITH, Joan (1975), *Three Voices : The Lives of Margaret Laurence, Gabrielle Roy, Frederick Philip Grove*, Toronto, Clarke, Irwin & Company.

PARIZEAU, Alice (1967), « La grande dame de la littérature québécoise : Gabrielle Roy », *La Presse,* 23 juin.

RICARD, François (1996), *Gabrielle Roy, une vie : biographie,* Montréal, Boréal.

ROY, Gabrielle (1977), *Bonheur d'occasion*, Montréal, Stanké.

ROY, Gabrielle (1978a), « Mon héritage du Manitoba », dans Gabrielle ROY, *Fragiles lumières de la terre*, Montréal, Quinze, p. 143-158. (Coll. « Quinze/prose entière ».)

ROY, Gabrielle (1978b), « Retour à Saint-Henri », dans Gabrielle ROY, *Fragiles lumières de la terre*, Montréal, Quinze, p. 159-175. (Coll. « Quinze/prose entière ».)

Roy, Gabrielle (1984), *La détresse et l'enchantement*, Montréal, Boréal Express.

Roy, Gabrielle (1985), *La route d'Altamont*, Montréal, Stanké. (Coll. « 10/10 ».)

Roy, Gabrielle (1993), *The Tin Flute*, Toronto, McClelland & Stewart inc.

Scully, Robert Guy (1974), « Au temps de *Bonheur d'occasion* », *Le Devoir*, 30 mars.

DOCUMENTS AUDIO-VISUELS

Castonguay, Pierre (1989), *La période londonienne de Gabrielle Roy*, SRC, couleurs, 22 mn.

Fournier, Claude (1983), *Bonheur d'occasion/The Tin Flute*, Ciné Saint-Henri inc., ONF et SRC, couleurs, 120 mn.

Godbout, Claude (1982), *Une âme sans frontières*, Productions Prisma, couleurs, 27 mn.

Grenier, Claude (1985), *Le vieillard et l'enfant/The Old Man and the Child*, ONF–Région de l'Ouest, couleurs, 52 mn.

Hopper, Dennis (1969), *Easy Rider*, Pando Company et Raybert Productions inc., couleurs, 94 mn.

Pool, Léa (1998), *Gabrielle Roy*, Les Productions de l'Impatiente et Buffalo Gal Pictures, couleurs, 78 mn.

Premier plan (1961), « Gabrielle Roy », entrevue par Judith Jasmin, SRC, couleurs, 28 mn.

Sarrazin, Jean, et Roger Fournier (1982), *Les chemins de l'imaginaire*, SRC, couleurs, 26 mn.

Simoens, Richard (1984), *Les visages de Gabrielle Roy*, SRC, couleurs, 26 mn.

FONDS D'ARCHIVES

Fonds Gabrielle-Roy, Archives nationales du Canada, Ottawa.

Fonds Gabrielle-Roy, Archives des Sœurs des Saints Noms de Jésus et de Marie, Saint-Boniface.

Fonds Jeanne-Lapointe, Archives nationales du Canada, Ottawa.

Fonds Cécile-Chabot, Bibliothèque nationale du Québec, Montréal.

Joyce Marshall Papers, Centre de recherche des Cantons de l'Est, Bishop's University, Lennoxville.

Margaret Laurence Papers, York University Archives and Special Collections, York University, North York.

TABLE DES MATIÈRES

Révision du manuscrit et correction des épreuves : Linda Fortin
Composition et infographie : Isabelle Tousignant
Conception graphique : Anne-Marie Guérineau

Diffusion pour le Canada : Gallimard ltée
3700A, boulevard Saint-Laurent, Montréal (Qc), H2X 2V4
Téléphone : (514) 499-0072   Télécopieur : (514) 499-0851
Distribution : SOCADIS

Diffusion et distribution pour l'Europe : DEQ
30, rue Gay-Lussac
75005, Paris, France
Téléphone : (1) 43.54.49.02 Télécopieur : (1) 43.54.39.15

Diffusion pour les autres pays : Exportlivre
289, boulevard Désaulniers, Saint-Lambert (Qc), J4P 1M8
Téléphone : (514) 671-3888   Télécopieur : (514) 671-2121

Éditions Nota bene
1230, boul. René-Lévesque Ouest
Québec (Qc), G1S 1W2

ACHEVÉ D'IMPRIMER
CHEZ AGMV
MARQUIS
IMPRIMEUR INC.
CAP-SAINT-IGNACE (QUÉBEC)
EN FÉVRIER 1999
POUR LE COMPTE DES ÉDITIONS NOTA BENE

Dépôt légal, 1er trimestre 1999
Bibliothèque nationale du Québec